Scrittori
108

GW00644942

Collana Scrittori

ultime uscite

72. Elda Lanza, *Una stagione incerta*
73. Henry Beston, *La casa estrema*
74. Martha Conway, *Il teatro galleggiante*
75. Luigi Ferrari, *Triade minore*
76. Kamila Shamsie, *Io sono il nemico*
77. Rhiannon Navin, *Il mio nome e il suo*
78. Margaret Atwood, *Il canto di Penelope*
79. David Mamet, *Chicago*
80. Emanuele Trevi, *Sogni e favole*
81. Trevor Noah, *Nato fuori legge*
82. Sébastien Spitzer, *I sogni calpestati*
83. Cristina Marconi, *Città irreale*
84. Marco Fabio Apolloni, *Il mistero della locanda Serny*
85. Cedric Lalaury, *Da qualche parte è sempre mezzanotte*
86. Francesco Pecoraro, *Lo stradone*
87. Marco Aime, *Gina*
88. Hanne Ørstavik, *Amore*
89. Philippe Claudel, *L'arcipelago del Cane*
90. Rosa Montero, *La ridicola idea di non vederti più*
91. Margaret Atwood, *I testamenti*
92. Sandra Newman, *I cieli*
93. Leonardo Luccone, *La casa mangia le parole*
94. Ritanna Armeni, *Mara. Una donna del Novecento*
95. Virginia Woolf, *Momenti di essere*
96. Christophe Palomar, *Frieda*
97. Joanne Ramos, *La fabbrica*
98. Stefano Corbetta, *La forma del silenzio*
99. Marta Orriols, *Imparare a parlare con le piante*
100. Domingo Villar, *L'ultimo traghetto*
101. Mattia Insolia, *Gli affamati*
102. Margaret Atwood, *Tornare a galla*
103. Marco Albino Ferrari, *Mia sconosciuta*
104. Jean-Paul Dubois, *Non stiamo tutti al mondo nello stesso modo*
105. Lisa Ginzburg, *Cara pace*
106. Simone de Beauvoir, *Le inseparabili*
107. Margaret Atwood, *La donna da mangiare*
108. Maria Grazia Calandrone, *Splendi come vita*

MARIA GRAZIA CALANDRONE

SPLENDI COME VITA

PONTE ALLE GRAZIE

Prima edizione: gennaio 2021
Sesta ristampa: settembre 2021

© 2021 Adriano Salani Editore s.u.r.l. – Milano
Tutti i diritti riservati
ISBN 978-88-3331-597-3

Redazione e impaginazione: Scribedit - Servizi per l'editoria

Progetto grafico: ushadesign

Ponte alle Grazie è un marchio
di Adriano Salani Editore s.u.r.l.
Gruppo editoriale Mauri Spagnol

Il nostro indirizzo Internet è www.ponteallegrazie.it
Seguici su Facebook e su Twitter (@ponteallegrazie)
Per essere informato sulle novità
del Gruppo editoriale Mauri Spagnol visita
www.illibraio.it

Splendi come vita

NOTA DELL'EDITORE. Gli a capo inattesi che si trovano talvolta nel testo sono volontà dell'autrice.

Ti accompagno a parole, perché a parole
sono nata da te

LA MADRE LA LASCIO' E POI SI UCCISE

Ora non è più

«abbandonata»

Maria Grazia, la bambina abbandonata in un prato a Villa Borghese e rimasta orfana, è stata affidata ieri a una famiglia romana: i signori Ione e Giacomo Calandrone hanno preso in consegna la piccina al brefotrofio di Villa Pamphili e se la sono portata a casa, felici. La piccina nacque da una relazione illecita: la madre, Lucia Galante Greco, si è uccisa; il suo corpo è stato ripescato nel Tevere. Forse il padre ha fatto la stessa fine. Molte persone si erano offerte di adottare la piccina, rimasta sola al mondo: la direzione dell'istituto che l'aveva accolta ha deciso per i signori Calandrone. I quali l'hanno portata a casa, dove le hanno fatto trovare una culla, un passeggino, vestitini, un corredo, e montagne di giocattoli. NEL- LA FOTO: Maria Grazia con la nuova madre, la professoressa Ione Calandrone, entra nella sua nuova casa.

Sono figlia di Lucia, bruna Mamma biologica, suicida nelle acque del Tevere quando io avevo otto mesi e lei appariva da ventinove anni nel teatro umano.

Sono figlia di Consolazione, bionda Madre elettiva, da me fragorosamente delusa.

Non sembrano premesse favorevoli a scagionarsi dalla constatazione d'essere vivi.

Ma la vita ci ignora, ignora soprattutto i pregiudizi e l'ovvio. Tutto cicatrizza, a nostra insaputa. Le ferite si aprono e si chiudono come valve nel fondo del mare della dimenticanza, gli episodi sommersi lampeggiano, mentre la nostra superficie agisce, compra una giacca di velluto liscio color granata, fa benzina.

Mentre scendiamo dall'autobus con le buste della spesa
il mare, sotto, muove la sua misura gigantesca, manovra le sue leve nell'olio azzurro del Tempo.
E noi, in alto, splendiamo.

E le parole vanno via da noi, semi sparsi come costellazioni nell'aria trasparente del mattino.

Le parole ricordano tutto, quello che non sappiamo di ricordare. Per ciò, affidiamo loro la memoria. Per poi dimenticare, ancora e ancora, ripassare il raschietto sulla cera dei giorni.

E le parole vanno via da noi, dalla cera impassibile dei nostri volti, e attivano le leve submarine di altri esseri umani, uguali a noi. Che splendono, talvolta, come noi splendiamo. Senza saperlo.

E tu, che leggi

ridi, rovescia in riso
la medaglia dell'Innominabile!

E mettimi di lato, mettimi tra quelli che, per sopravvivere, sono diventati sensitivi.
A causa di un'improvvisa scossa di assestamento
delle mura domestiche. Ovvero di un'inezia dalle
proporzioni colossali.

Dopo quel giorno, niente è come prima e il non
amato (cioè il non vivo, il *mostriciattolo*) deve fiutare l'aria, osservare le scariche di temporale che si
preparano, nell'ombra delle camere da letto.

Egli vuole, tutto sommato, continuare a vivere.

Sotto i letti, massimamente. Le ombre si accumulano in maniera massiva sotto i letti dei bambini non amati. E un umido risucchio catacombale, nel quale fruscia il vuoto artiglio del Nulla, pronto a scattare e chiudersi sulle tenere carni. Un vivaio verminoso.

Se ti muovi, ti vedono.

Ognuno gira nudo e solo sulla ruota siderale degli esposti, tanto più nudo e solo quanto più imbozzolato nella concrezione rasposa delle coperte.

Sei abbandonato e solo.
Se ti muovi, ti vedono.

Il Disamore avvolge i letti dei bambini fra le spire
di un pianto non pianto.
I bambini non amati non piangono.

Chi chiamerebbero, col loro pianto?

Madre, mettimi tra quelli

Sono caduta nel Disamore a quattro anni, quando Madre rivelò Io non sono la tua Mamma Vera.

Quella di Madre fu una decisione anticipatoria, d'amore ansioso: aveva letto sul giornale la notizia del suicidio (un altro! che cortocircuito nella mente di Madre!) di una diciottenne che, nel predisporre le carte per il proprio matrimonio, aveva scoperto d'essere stata adottata e si era tolta dalla vita. La ragazza doveva aver sentito sabotate le radici della propria identità. Il futuro che stava fondando, in lei valeva meno del passato. Le persone sono strane.

A quattro anni, non ero probabilmente prossima al matrimonio, né avevo intenzione di richiedere documentazione alcuna circa la mia propria ascendenza: quello di Madre fu uno scrupolo decisamente precoce, ma ho sempre compreso con sincera adesione il conflitto che la indusse in errore.

Negli anni Sessanta, i genitori si muovevano secondando la natura della quale disponevano per nascita, più raramente per cultura analitica, e agivano come meglio sapevano agire. In mancanza d'istinto parentale o lungimiranza emotiva, non consultavano lo squadrone di psicologi che oggi tende a ispezionare e circondare con cuscinetti d'ipotesi e risoluzioni profumatamente pagate (forse solo per ciò sollecitando gli auscultati a risolvere le proprie incertezze) i nostri disagi domestici e le oscillazioni nostre.

Nella leggenda famigliare, tramandata dalla memoria stessa di Madre, sembra che io abbia reagito alla Notizia gigantesca con maturità esemplare, abbracciando lei viva e presente (lei che sola, in effetti, constatavo, con salutare senso pratico) e rispondendo che Non ha importanza, Mamma sei tu.

Un'investitura talmente corretta da suonare inverosimile.

Pensai soltanto a sopravvivere, dicendo a Madre quel che immaginavo Madre volesse sentirsi dire, perché lei non avesse a ripudiarmi?

O pronunciai quelle parole per lei, gliele dissi per farLa felice?

Oppure Madre fu pietosa con sé e ricordò quel che avrebbe voluto sentirsi dire, ma che io non le dissi?

O era tutto vero, il fatto andò com'è stato trascritto dalla memoria di Madre e io l'amavo talmente che la Sua presenza l'aveva vinta sopra la potenza minatoria d'ogni Fantasma?

Vera è l'ultima ipotesi, l'amorosa.

Posso affermarlo come si afferma la Pura Verità, perché ormai ho consuetudine coi miei modi interiori e ricordo con viva e smagliante esattezza l'interminata ossessione della mia infanzia, invece terminata. Ossessione che dilagò al di là del tempo consentito alle provvisorie (e talvolta provvidenziali) fissazioni infantili: il terrore che Madremammavéra morisse.

Quando Madremammavéra prendeva sonno, afferrata dall'ombra, controllavo col dito inumidito il suo respiro. Che notti ambigue! La bambina a vegliare una madre, vivida e autonomamente respirante.

Ricordo circoli numerici rigenerantisi come fenici e urobori, e ripetuti rituali propiziatori, quando Madremammavéra tardava nel rientrare dal lavoro. Professoressa di Lettere. Ne eravamo talmente orgogliose! Un lavoro conquistato spesando, da sola, se stessa e la propria Madre, con cicli di ripetizioni diurne e sessioni di studio notturno sostenute da una macchina di tortura che, come vedremo, le costerà la vista: alcool spruzzato negli occhi e stuzzicadenti a tenere dischiuse le belle palpebre, fatte pesanti dal sonno.

Una donna del millenovecentosedici che, abbandonata dal Padre, aveva preso in carico sua Madre, la Nonna (Archetipo tutelare che, nel futuro remoto, mi salverà) e l'aveva tenuta nella propria casa per tutta la vita. In fatti, l'Archetipo viveva con me, ancora non visto, mentre percorrevo il corridoio senza mai calpestare la commessura tra i lastroni in graniglia di marmo, l'orecchio teso a intercettare il moto dei contrappesi dell'ascensore, così Madre sarebbe immediatamente tornata.

Quella volta che Madremammavéra si ammalò di malattia misteriosa, vissi per giorni al suo capezzale, classificando fiori e foglie su pagine di cartoncino coi buchi. Un catalogo di malinconia vegetale. La sera, le leggevo i racconti del libro *Cuore*, che tanto amava. A Mamma piace commuoversi.

Sono dunque certa che la Notizia dell'adozione si sia depositata e sciolta in me come neve. Un'astrazione, che non interferiva con la realtà, meno che mai con la realtà perturbata e scintillante del mio amore, infantile e di poi.
Madre uscì invece malamente ferita dalla sua stessa rivelazione.

Madre aveva confessato, per amore, alla figlia, di non avere figli.

Agli occhi orgogliosissimi di Madre, fu come confessare una mancanza.

E che espressione autolesiva si era rivolta contro! Lei, che aveva sempre le parole per tutto, lei che voleva scrivere un romanzo, lei che incantava gli studenti con la sua parlantina brillante, aveva rivolto contro la sua persona un'espressione trita e convenzionale. Un effetto del panico. Mamma Vera era l'altra. Attribuire a se stessa il ruolo di un falso! Aveva inoculato nel proprio corpo un sentore di plastica, di soldo che non suona, di bambola di gomma. Mamma Finta. Povera, povera Madre!

Da quel momento, non credette più al mio Amore. Come chi si sia frettolosamente denudato e non possa più tornare indietro. Quello che è stato visto, è stato visto.

Nella memoria di Madre, si installò un Prima, nel quale ero affettuosa e obbediente. La bambina «mansueta» che con ogni evidenza, a conoscermi ancora oggi, non sono mai stata, né potuta essere. Quella bambina angelicata venne istituita a posteriori dalla paura di Madre. E divenne il segnacolo della sua Grande Delusione. Perché, ormai, qui vigeva il Presente, il dolore della separazione. Una Verità, rivelata da Madre, aveva avuto l'effetto paradosso di rendere lei Finta, sebbene ai propri soli occhi.

Possiamo allora riferire il momento della rivelazione della minuscola notizia come un parto a parole, accompagnato da abbondantissimo spargimento di sangue.

Madre adesso sapeva che sapevo che il suo sangue non era il mio sangue.

Madre credeva che l'amore non potesse diventare sangue.

Sbagliava, per insicurezza ed eccesso di logica.

Ma è andata così.

Il nostro letto – dormivo con lei, nel matrimoniale – fu progressivamente invaso da una copiosissima privazione.

Tanto più il sangue di Madre si ritirava in sé, offeso e dolente, tanto più il mio sangue le fiottava incontro sfavillante, rutilante e eloquente, per finire quel rimbombo agghiacciante di universo in abbandono.

Sangue offerto come un fiore da nulla.
Povero sangue bianco di parole.

Due bambine non si parlano più.
Due foglie accartocciate per ripararsi dal vento.
Due bocche che parlano da piani spaziotemporali incomunicanti. Come morti con vivi. Come in un film di fantascienza. Come nella realtà.

Col tempo, la notizia scavò un solco oceanico, nel mistero affettivo di Madre, tra lei e l'amore che portavo. Che non ha visto mai più. Ma io ero fatta tutta di quell'amore, non avevo altro.

Fu così che smise di vedermi.
Fu così che iniziò a perseguitarmi.
Fu così che, infine, divenne cieca.
E fu così che smisi di dipingere
quadri che non poteva più vedere
e tentai la poesia.

Roma, 5 giugno 2020

Madre è gelosa

Madre è gelosa, gelosissima. Ha una cugina, siciliana anch'essa, che di mestiere fa la suora in un posto lontanissimo e sciaguettante detto Mestre. Capisco (male) che fa la maestra, che insegna ai bambini e per ciò è buona. Si chiama Pina. Un nome piccolo, senza pretese. Quando viene in visita, dorme nel matrimoniale con noi. Madre, di nome, fa Consolazione.

Madre è bionda, bella, lucida, normanna e stalinista. Pina è bruna, araba, mite, col visetto puntuto, una ragazzetta di campagna, poco colta e devota. Immaginandomi supina, faccia al soffitto, poniamo Madre (bionda) alla mia sinistra e Pina (bruna, come Mamma Vera) alla mia destra. Una crocefissione.

Ogni volta che Pina viene in visita, assisto al segreto della spoliazione di una suora. Pina è lenta, mangia pigramente e pigramente si sveste, posa i vestiti neri su una delle due poltroncine di raso ai piedi del letto, i movimenti legati a una distrazione invisibile. Tolto il velo, ha quei capelli neri e spessi che dicono di campagna presa dal sole, di olive scosse al vento e di una solitudine che guarisce nel sonno.

Il suo sonno è un sasso abbandonato all'acqua.
Il velo ai piedi del letto.
Il letto come un fiume che non dà pace a chi resta.

Cosa possiamo opporre, poveri mortali, alla memoria del corpo?

Non avrai altro Padre

Non ho mai saputo, né indagato, chi fosse Papà, poi che ho eletto Giacomo come solo Padre:

l'eroe di Spagna, lo scrittore autodidatta, l'operaio metallurgico che, a Savona, passa le notti della giovinezza sui libri, impara in fretta (e abbastanza) da cominciare a identificare le ingiustizie, come sindacalista interno al grande stabilimento Illva prima, poi da giornalista politico, poi come volontario antifascista, montato su parecchi scalcagnati convogli per offrire la sua vita alla libertà di un popolo che parla un'altra lingua (imbracciando il fucile di giorno e strappando alla notte parole macerate nel fango, ribollente o diaccio, delle trincee della brigata «Garibaldi»; tornando a combattere e a scrivere subito dopo l'intervento chirurgico di sutura delle ferite quasi mortali, riportate durante un bombardamento aereo; subendo legature incisive alle sedie dei campi di concentramento francesi e gli attinenti colpi dei *cagoulards*, che amano incrinare schiene e costati aiutandosi con sacchetti pieni di sabbia), infine fronteggiando movimentate conferenze pubbliche, da Dirigente del Partito Comunista Italiano in Sicilia e sedendo per dieci anni alla Camera, grazie alla forza del suo ingegno e, soprattutto, del suo grande slancio.

Che altro chiedere, alla vita di un essere umano, se non questa direzione ostinata verso «l'aperto»?

Le parole sono la parte più concreta della materia.
La materia è uno scherzo ben riuscito.
Le parole non sono mai completamente pulite.
Le parole non dimenticano la materia dalla quale evaporano, ma non ne hanno alcuna nostalgia.

Padre è alto e grande, è bellissimo. Gian Maria Volonté. La classe operaia va in Paradiso. Col cappotto di lana, il completo grigio chiaro, il colbacco portato da Mosca, risponde: Appendilo al cesso!, al liceale in giubbotto di pelle che a Ponte Lungo gli offre un volantino del Fronte della Gioventù. Non gli importa che quello ha quarant'anni meno di lui. Padre è democratico. Gli faccio eco: Al cesso!

Sempre senza cravatta, penna a sfera (blu) nel taschino, camicia a maniche corte nei pantaloni, cinghia stretta e colletto sbottonato. Nella leggenda famigliare, Alessandro Natta regala a Padre una scatola di magnifiche cravatte in seta, perché Padre continua a presentarsi in Parlamento a collo nudo. Il suo corpo occupa lo spazio disponibile. Quando Padre batte a macchina, la scrivania azzurra – questa, che in una notte che dirò è diventata mia – si riempie di fogli. La sua bella scrittura oblunga. Padre viaggia il Mondo. Quando è fuori, ogni sera prima di cena arriva una telefonata. La linea è spesso disturbata, come piena di vento. Ogni mattina Angelo, lo zufolante portalettere di quartiere, recapita una cartolina, da terre remote come astri: India, Brasile, Africa. Padre è il mondo. Colleziono i paesaggi che i suoi occhi vedono. Papà, li metto in ordine. Il tuo mondo è la mia Collezione Privata.

Padre è la condensata selezione di long playing che rappresenta la singolare colonna sonora della mia infanzia: le *Canzoni popolari ungheresi ispirate a Giuseppe Garibaldi, W FRELIMO, Documenti e canti del popolo mozambicano in lotta contro il colonialismo portoghese*, i *Canti della Guerra di Spagna 1936/1939 – Con la punta de la bayoneta defenderemos nuestra Libertad* (e Mamma che m'insegna *¡Ay, Carmela!*: «Rumba la, rumba la, rum – bambam / Cuando sobra corazón / ¡Ay, Carmela! / ¡Ay, Carmela!»), le *Poesie di Mao Tse-tung* musicate da Roberto e cantate da Gigliola Negri, *Compagno Presidente – Omaggio a Salvador Allende, Canti e poesie della rivoluzione cilena*, ove figurano Pablo Neruda, Violeta Parra e Rafael Alberti, i *Canti della Resistenza* *italiana* e quelli *della Libertà* eseguiti da Milva (e Mamma che m'insegna *La Carmagnole*, inno di una Rivoluzione che mi pare un filo più sanguinaria del bel canto d'amore spagnolo: «Dansons la carmagnole / Vive le son, vive le son / Dansons la Carmagnole / Vive le son du canon!»).

(Dalla discografia incipitaria di Padre discenderà, in parte, la mia scelta del padre dei miei figli: quando lo incontro, il mio futuro compagno esegue per mestiere brani analoghi a quelli qui riassunti. Quel non so che di eterno e rivoluzionario, tempo futuro che si affaccia dal tempo passato, passato che si solidifica e affila, si tempera e si tempra, per diventare futuro. Una rappresentazione perfetta. Certo, l'amore non è e non sarà solo nostalgia dell'amore, ma, altrettanto certamente, la musica è forte più del Tempo. La musica è una macchina del Tempo, lucida come una freccia: «Y en las multitudes el hombre que yo amo».)

Il formidabile inventario paterno si chiude con *Il Viet Nam è qui*, che riproduce le veglie pacifiste avvenute nel novembre-dicembre 1965 a Roma e Torino e raccoglie interventi di Alfonso Gatto,

Norman Mailer, Giancarlo Pajetta, Dario Fo... E chi poteva presentare lo spettacolo relativo alle manifestazioni, se non l'amarissimo, ironico, intelligentissimo Gian Maria Volonté?

Non l'adozione, bensì la guerra del Vietnam, fu il vero cruccio della mia prima infanzia.

Padre torna di notte, con la valigia piena di regali esotici.

Le maracas, con l'odore dei semi di girasole. Lo spadino spagnolo, con la lama intarsiata e lucente. *Olè! Soy el torero!* Le statuine in mogano di due allampanati bimbi africani, legati a un arco messo in equilibrio sulla testa della statua madre. L'Africa porta i figli come secchi d'acqua, il liquido vitale che scorrerà lontano dalla fonte. Il fuciletto lo vinciamo insieme al Luna-Park. Il fuciletto è meglio delle bambole. Padre non combatteva tirando bambole contro gli sporchi franchisti. Padre è stato ferito. Io sono incolume.

Padre ha amici spagnoli molto belli. Uno, in particolare, coi capelli nerissimi e il sorriso liscio e scintillante. Così bello che lo seguo anche in bagno, come fosse il pifferaio magico. Trova il modo di chiudermi fuori senza farmi capire e senza offendermi. Padre ha amici leali e delicati come lui.

Padre conserva per me i crackers e le salviette profumate che gli danno a bordo degli aerei. Così sai che ti penso sempre. Così voli con me. Qui si fondano odore e sapore di ogni volo futuro. L'amore è vero e senza lontananza.

La metà di letto dove Padre dovrebbe dormire, d'inverno è fredda.

Una notte, saltando per la gioia che Padre sia con noi, urto il quadro della Madonna intarsiata nel legno massello, appeso sul matrimoniale.

La Madonna sulla fronte di Padre. Il fazzoletto di stoffa bianca sulla fronte di Padre. La Madonna sulle labbra di Padre.

Tengo quel quadro in camera da letto, a memento dei pericoli dell'esuberanza, per coloro che ne sono travolti.

Padre mi dà uno schiaffo perché, attraversando Piazza Ragusa, gli dico Che, sei scemo?
È il primo schiaffo della mia vita. Il secondo e ultimo me lo darà il padre dei miei figli, tante vite dopo nella stessa vita.

Una mattina Nonna suona in testa a Padre il bastone della scopa. Padre se ne va urlando Ho combattuto per la Libertà, non mi faccio mettere i piedi in testa da nessuno! Non erano piedi, Padre.

Madre allontana Padre da casa. Padre soffre in silenzio. Madre mi dice che la colpa è mia. Padre non sembra arrabbiato con me. Quando è a Roma, viene ogni domenica. Giochiamo a dama (appuro che non mi faccia vincere senza merito, come i Padri sogliono oltraggiosamente fare) e, se il tempo è bello, mi porta a Villa Fiorelli o al Cinema Orione, un cinemino parrocchiale poco distante da casa. Ogni 15 ottobre, Padre mi porta allo zoo. Prendiamo l'autobus numero 3 in Piazza della Stazione Tuscolana. Il culmine della gita è dare da mangiare l'erba alle capre. Attenta a non prendere l'ortica! Seduto su una panchina, Padre si asciuga la fronte col fazzoletto di stoffa. Quando Padre si soffia il naso, la ricrescita della barba raschia contro la stoffa del fazzoletto. Un rumore maschile. Poi, mi porta a pranzo al ristorante. Soli soli, Padre e io.

Nella saletta del Cinema Orione, con le sedie di legno ribaltabili e l'odore di scantinato, fumo e popcorn, nasce la mia perdurante passione per il cinema. Vediamo quello che c'è, le seconde visioni 1972-1974.

Vediamo *Blob – Fluido mortale*. Non dormo per molte notti.

Quella volta, nel buio, qualcuno mi tocca la gamba destra. Purtroppo non è Padre. Padre è alla mia sinistra. Io siedo alla destra di Padre.

Vediamo *Anche gli angeli mangiano fagioli*. Mi addormento quasi subito.

Un giorno Padre mi porta in un cinema lontanissimo, con l'intenzione di imprimere un sigillo decisivo nella lega metallica di fanghiglia e oro della mia identità (che oscillerà per sempre fra i due estremi, come quella di tutti): Roberto Rossellini, *Roma città aperta*. Ho otto anni. Prima del film, proiettano il trailer di *Non si deve profanare il sonno dei morti*. Padre mi copre gli occhi con la sua grande mano dalle unghie tagliate senza cerimonie, ma ho fatto in tempo a vedere un avambraccio scheletrito sbucare da sotto la terra del cimitero, far schizzare in un colpo lapidi e erba contro il cielo notturno. Mi appassiono all'opera di Sartre che sta nella libreria di Madre. Comincio con *Morti senza tomba*. Segue l'intera collezione di *Urania*, che acquisterò usati in cambio dei libri che gli editori scolastici mandano a Madre e che nascondo fischiettando sotto il giubbino in jeans. Il compratore è un meschino figuro che, tirata giù la serranda del negozio con me dodicenne all'interno, al primo urlo che emetto quasi fuori di me, rinuncerà al proposito di violentarmi.

Vediamo *L'albero dalle foglie rosa*. Ho ormai dieci anni, seguo abbastanza bene la trama. Uno strazio: i genitori di Renato Cestiè si stanno separando, con grande angoscia del piccolo, il quale – oltre che dal senso di colpa per la separazione in atto – viene travolto da un'auto e il film si chiude sulla scena del bambino che, riverso a terra e fradicio di pioggia, abbraccia il tronco di un albero dalle foglie appunto rosa, così invocando: Stringimi forte papà, ho paura. Aiutami papà, ho tanto freddo. Papà! Papà! Papà!

Piuttosto scossa, chiedo aiuto a Padre: Come finisce? Padre rimbalza la domanda: Secondo te? Dico: Che il papà arriva e lo salva! Padre dubita: È troppo accomodante.

Ancora mi vergogno della mia viltà. Padre è uno che lotta, il lieto fine bisogna conquistarlo, non inventarlo. È l'ultimo film che abbiamo visto insieme, ma non la sua ultima istruzione per l'uso della gioia.

Padre cade, lontano da casa. Padre è in ospedale nella sua terra.

L'estate del 1975 è fatta di odore ferroso di treni, stridio di ganasce che frenano a secco, vampe di calore dai finestrini, polpette fritte con l'insalata di pomodori maturi, coi quali Nonna carica i portapranzo di alluminio di Madre e me che, conquistato il posto al finestrino, consumiamo il pasto sui tavolinetti a estrazione di fòrmica dal colorito giallino, verdino, grigetto (in quegli anni la fòrmica era affetta da un discreto pallore), avvolte in spire di fumo, spiegamento di quotidiani, sventolio di cappelli, chiacchiere occasionali, luce a picco improvvisa dagli archi sul mare. Erano viaggi belli, vita a contatto con vita. Vita che,

mescolandosi a vita, dimentica sé. Spesso avveni-
vano incontri che rendevano doloroso l'imman-
cabile congedo, nella maggior parte dei casi definitivo. Nel microcosmo degli scompartimenti, ci
allenavamo tutti
a quella cosa che chiamiamo morte.

Quando Madre mi chiama per nome, usa il mio nome in tutta l'estensione. È una forma di rispetto professionale, e per ciò dolorosa, nei confronti di chi l'ha scelto per me, la (da lei) cosìdetta Mamma Vera. Quando Madre mi chiama col nome completo mi spavento.

Maria Grazia, non sta bene fissare le persone che mangiano, le costringi a offrirti qualcosa.
(Lo so!)
Maria Grazia, guarda fuori.
È sempre lo stesso panorama, preferisco leggere.
Questa risposta verrà assunta, più avanti, come prova del mio scarso interesse per il mondo.

Scese dal treno, l'estate del Settantacinque è pranzi in trattorie col sentore aspro del bianco da tavola, tra gli stocchi e le spade incendiarie delle agavi. Menù, sempre lo stesso: trenette al pesto e cotoletta. Ed è l'esalazione graveolente e umana degli ospedali, camuffata dall'acuto dei disinfettanti, mescolata a ventate di ginestra e al profumo di lavanda sintetica degli alberghetti della riviera.

Prendiamo camere col bagno in comune. La sera, per risparmiare, facciamo la spesa e mangiamo in camera. Scelgo sempre la farinata di ceci. Ormai Madre mi lascia andare sola a comprarla al forno, dopo due mesi ci conoscono tutti. Siamo la famiglia di Padre.

Non ho ancora dodici anni, non potrei entrare in reparto, ma Madre non sa dove lasciarmi. Padre ha metà del corpo paralizzata, parla male, scrive storto, sorride timido come un bambino, quando mi siedo accanto a lui sul letto. Invento metà delle parole che mi rivolge. Capisco che gli piacciono le pastiglie alla menta. Capisco che affida Madre alla mia cura. Capisco che vedermi gli fa più bene delle medicine.

Un nipote di Padre, giovane giovane, in divisa da cameriere, regala a Madre un oggetto a pile bianco oblungo. In albergo, Madre legge le istruzioni e mi chiede di massaggiarle le braccia con quell'oggetto che vibra.

Il letto vicino al letto di Padre una mattina è rifatto. Il ragazzo aveva i baffi neri folti e una bella moglie disperata che ci diceva sempre Mio marito è giovane, ce la farà. Ogni volta tremavo di rabbia, non avendo l'età per compatire l'egoismo di chi vive piegato dal terrore.

Dalla poltrona ai piedi del letto, vedo alcuni amici di Padre corteggiare Madre. Uno, in particolare, un avvocato dal colorito livido e la gamba rigida, vuole portarci a pranzo. M'impunto. Madre sorride, tristissima e grata. Non avrai altro Padre.

Zio Pacifico, fratello di Padre, un pomeriggio si occupa di me e mi porta al parco giochi. Alla bancarella, mi compra una bibita colorata, contenuta in una bottiglietta di plastica trasparente e scabra, col tappo giallo liscio a forma di sombrero. Dico Grazie, papà.

Ci telefonano che Padre è allegro e canta a squarciagola Va pensiero. In cucina Madre dice Può essere il miglioramento della morte.

Andando in treno al funerale di Padre, sporgo il braccio destro dal finestrino per afferrare l'aria, invece prendo un palo della luce. Madre resta seduta, dice Ti sta bene. Le ultime parole di Padre sono state Lasciatemi morire. Morendo, Padre ha preteso ancora una volta libertà. L'ultima libertà che può un uomo, essere libero di morire. Padre è coerente. Al funerale di Padre, la mia mano destra ricorda, per forma e colore, una melanzana. Voglio raccontare barzellette a tutti. Nessuno dei Compagni ride con me. La bara di Padre è esposta, sopraelevata, ha il tricolore e la bandiera rossa. Quello di Padre è un funerale di Stato. Un amico di Padre mi porta in Farmacia e mi fascia la mano. Vedo la cassa di Padre spinta

nella bocca arancione del crematorio. Fuori, al
sole, l'odore
non somiglia a niente. Tra qualche giorno è il mio
undicesimo compleanno. La sera in cucina dico
Ha smesso di soffrire. Poi siedo alla scrivania di
Padre e mi raso i capelli a zero con la lametta.

6 giugno

Noi due

Al Kursaal di Ostia, Madre mi tiene alta come un trofeo. È l'estate del 1965, Madre mi ha adottata da pochi giorni. Il mare fa bene alla bambina. Madre ha la pelle chiara, al mare si scotta. Sulla sabbia è vestita da città, con due giri di perle, l'o-rologetto d'oro della laurea, i sandali bianchi col tacco affondati fin quasi alla caviglia nello sforzo di sollevare il mio piccolo peso, la messa in piega tutta spettinata. Madre non è sportiva. Madre ha il sorriso pieno di gioia. Madre si aspetta tutto dalla vita.

Non abbiamo la macchina fotografica. Tranne gli scatti occasionali fatti da amici, le foto ricordo si fanno una volta l'anno, alla macchinetta pubblica o dal fotografo. Nessuna vanità, documenti di crescita.

La seconda foto dove siamo insieme è presa alla macchinetta della Stazione sotto casa, nell'inverno del 1967. Ho tre anni e mezzo, Mamma cinquantuno. Ha il suo completo azzurro di sartoria, la camicetta in seta a collo tondo, la spilla d'argento con spighe di cristalli incastonati e tre rubini in cima. Io ho il cappotto celeste a doppio petto e il berretto di lana legato con il fiocco sotto il mento. Ci somigliamo, Mamma e io. Eleganti, spiritose, intelligenti. Felici.

Mamma porta la pelliccia di castoro con la sciarpa di seta arancione. Mamma mette un velo di cipria e giusto un filo di rossetto rosso. Nelle sere d'inverno, profuma d'aria.

Quella sera che fisso terrorizzata la piazza, dalla portafinestra della cucina. Nonna, perché mamma non torna? Le luci delle macchine sull'asfalto bagnato. Mamma non vede bene. Mamma non mette gli occhiali perché si vergogna. Quando usciamo, l'aiuto ad attraversare. Dov'è mamma? Lo dico contro il vetro della finestra.
So cosa sia la gioia perché quella sera d'inverno mamma è tornata.

Mamma era in libreria, a comprare l'edizione appena stampata delle *Fiabe italiane* scelte da Italo Calvino. Oscar Mondadori, gennaio 1969.

Ho assoluta e incrollabile fiducia che Mamma possieda un rimedio per tutto. Ho assoluta e incrollabile fiducia che Mamma sappia curare ogni male. Questo rimedio magico si chiama «pomatina». Quando mamma mi spalma la «pomatina», io guarisco da ogni infinitesimo dolore. «Serena, io ero serena, / serena come un cielo blu. / Un fiore dentro ad un bicchiere / bastava, e poi c'eri tu», canta Gilda Giuliani.

Quell'estate mi sale la febbre. La febbre altissima deforma la mia percezione delle dimensioni della realtà e del mio corpo fra le cose reali. Divento grande come tutta la stanza, il petto preme contro il soffitto liscio, sento il sapore spesso della vernice, poi d'improvviso rimpicciolisco nel risucchio come un grano di polvere e il soffitto è una volta celeste, inarrivabile.

Vengo ricoverata per tifo. Mamma non si stacca un momento da me, dorme sulla poltrona nella camera d'ospedale. Mamma mi rimprovera il vizio di mangiare la sabbia dietro le cabine, dove ci sono gli scoli dei bagni. Vedo che Mamma è disperata e a volte piange, da sola nel bagnetto della camerata, vedo che Mamma rischia il tifo per me. Appena stiamo meglio, alla mezza luce dei pomeriggi ospedalieri costruiamo stravaganti figure bidimensionali con la carta adesiva colorata e le incolliamo su cartoncini neri.

Mamma che passa la sera a pettinarmi perché
ha letto che il riccio è una malattia del capello.
Mamma che mi addormenta raccontandomi i
miti greci. Mamma che mi cura col Piramido-
ne e io ogni volta rido per il nome. Mamma che
minaccia di chiamare l'Uomo Nero e io che mi
entusiasmo e corro alla finestra Fammelo vedere, fammelo vedere! Mamma che, mentre mi fa
il bagno, si dà uno schiaffo da sola per non col-
pirmi. Perché non sono sua Figlia, dice. Mamma,
perché te lo ricordi sempre? Mamma che ride
con la bella risata chiara chiara quando faccio il
pagliaccio per lei. Mamma che corregge i com-
piti sul tavolo della cucina e io che invado il suo
spazio coi libroni bianchi dell'Enciclopedia degli
animali P.E.I. Mamma che, anche se fanno male,

compra le patatine Pai perché il nome Pai mi fa ridere. Mamma che mi dà cinquanta lire se l'aiuto a invasare i gerani. Mamma che dice Te le metto in disparte. Mamma che si lamenta perché, da quando ci sono io, non ha neanche il tempo di tagliarsi le unghie. Mamma che alla domenica fa il bagno coi sali profumati e la radiolina accesa. Mamma che non sa cucinare e versa nell'acqua la polvere della crema d'asparagi Knorr. Mamma che, se insisto perché non esca, cerca di mascherare l'impazienza con la dolcezza del tono, mentre dice Maria Grazia, così mi porti sfortuna. Mamma che scoppia a ridere in mezzo alla strada perché faccio la caricatura di lei che cammina tutta impettita. Mamma che ogni sera mi fa tenere il diario della giornata e io che invento il mondo per farla felice.

In quegli anni, le persone che vengono rapite hanno nomi strani: Sutter, Getty, Mirko Panattoni. M'immagino che vengano punite a causa del nome. Mamma, possiamo cambiare il tuo nome?

Quando il disco di Cappuccetto Rosso arriva al punto dove il lupo muore, provo dolore. Mamma dice che, invece, bisogna avere il coraggio di estirpare il male.
Su «Paese Sera» vedo la foto di Renzo Danesi e, con l'aria di chi la sa lunga, dico a Mamma che è proprio carino. Danesi è uno dei componenti della Banda della Magliana. Mamma osserva, preoccupata La bambina è attratta dai delinquenti.

Mamma mi porta spesso dal neurologo perché dice che non sono normale. Mettono fra i capelli le placche degli elettroencefalogrammi. Mi piace smontare le bambole con gli altoparlanti, per capire come funzionano. Mi affascinano i cavi, i meccanismi. Le bambole col disco mi deludono. Il neurologo mi prescrive il bromuro. Il bromuro è un anticonvulsivante veterinario che, in piccole dosi, ha azione sedativa. L'uso pediatrico è altamente nocivo. Mi piacciono anche gli insetti. Costruisco un erbario trasparente, studio la vita degli onischi. Metto loro dei nomi, mi ci affeziono.

Mamma che si compiace perché ho liberato il topino intrappolato dalle suore dell'asilo di via Mirandola e ripete a se stessa, tutta orgogliosa, che ho detto Mamma, faceva pena, sembrava un passerotto senza le ali. Mamma che, mentre si compiace, ogni tanto si rabbuia perché, in sei mesi, è il secondo Istituto di suore dal quale mi faccio cacciare. Il primo è quello delle Dorotee, antipatiche fin dal nome. Inoltre, nel loro giardino, talvolta muoiono i merli. Mamma che mi fa andare in seconda elementare a cinque anni e mezzo perché coi miei coetanei mi annoio.

Il giorno prima dell'esame di ammissione in seconda, rifiuto di recitare alla zia Wanda, amica del cuore di Mamma, la poesia che Mamma mi ha insegnato. Non mi piace esibirmi a comando e non mi piego neanche per far risplendere l'esemplare insegnamento di Mamma agli occhi della sua imponente collega, che lei chiama, con divertito affetto, «il corazziere».

Nonostante in circostanze come questa manifesti il mio pessimo carattere, Mamma è morbida, Mamma non mi forza: Mamma ha fiducia in me.

La poesia che taccio irremovibilmente è il *Pianto antico* che Giosuè Carducci dedica alla morte del figlioletto. Sebbene capisca solo parzialmente quel che ripeto, colgo senz'altro la straziata e cupissima atmosfera dei versi e attribuirò per anni all'incolpevole melograno una contiguità immeritata a quel pur decoroso tormento. La pianta stessa del melograno diventa per me simbolo dell'indifferenza naturale perché, nella poesia, essa continua a fiorire e a spandere tutto quel rosso rosso come sangue sopra al poeta che scrive, da dentro una vita invece accartocciata e inutile, ora che è prosciugata dell'unico figlio. Immagino il bambino, sepolto dentro i suoi vestiti ai piedi dell'albero, dare vita con la sua vita piccola all'esecrabile albero dai frutti rossi. Penso ai piedi.

Quello di Carducci è un pianto breve, contenuto e (come si dice) virile. Quello di Mamma è un gesto risoluto e durevole e non smetterà mai: facendomi imparare come prima poesia la poesia del poeta che piange d'essere orfano del proprio figlio, la mia Mamma imprime in me, per sempre, la propria dichiarazione d'amore, intrisa nell'orrore della perdita. Traduco le spaventevoli, amorosissime parole che sento provenire dal suo corpo, e che Mamma non dice: ora che ti ho conosciuta, se te ne vai, la vita che hai terremotato non ha frutto. Quanti frutti può dare, il corpo di un bambino? Sull'isola dalla quale Mamma è atterrata, Amore e Morte sono parenti di sangue. Il terzo vertice della Trinacria è Onore.

A me basta la fatica di ripetere quel giuramento una volta sola, all'inconsapevole maestra. Una prova didattica brillante, e così lontana dal nostro amore ineguagliabile.

Invece, cado intensamente innamorata del personaggio di Atomino, disegnato da Marcello Argilli & Vinicio Berti. Atomino è un ingenuo pasticcione, ma generoso e quasi indistruttibile, integralmente dedito alla felicità della sua bionda sorellina adottiva.

«Smeraldina, perché non mi sorridi più?»

Smeraldina che non lo vuole perdonare perché lui ha messo la sua inarrestabile energia al servizio del padrone della fabbrica, tradendo, senza volere, gli operai in sciopero. Atomino che non capisce niente e lei sa tutto. Atomino piange lacrime radioattive che bucano il pavimento.

Mamma che fa la siesta con la Nonna e si raccontano tutto. Vai a giocare un'oretta. A pallone col muro della cucina. O, sotto il tavolo, impersono prima la principessa e poi il tuareg che la rapisce (leggevo *I predoni del gran deserto* di Emilio Salgari). Quando i due s'innamorano, il gioco diventa acrobatico.

Dopo cena, preferiscono storie della giovinezza. Mamma si fa mandare dalla Sicilia le piante di gelsomino. Nelle sere d'estate, in quel profumo d'isola abbandonata al vento levantino, cercano il refolo di ponente sul balcone. Mamma dice Hanno costruito troppi palazzi. Prima qui si sentiva l'odore del mare.

Quando Mamma gioca con me, sedute in fondo accanto alla ringhiera, la città è ai nostri piedi e noi siamo più grandi della notte stellata che ci contiene. Un bastimento carico di eternità. Siamo alle fondamenta del mondo.

A Mamma piace molto rievocare il momento del nostro primo incontro. Ne parla come di un innamoramento subitaneo, fiabesco, reciproco e definitivo – e così lo racconta anche a Maria Pia Fusco, che la intervista per «L'Espresso». Ecco la voce di Mamma. Lascio a lei la parola, alla sua viva voce di allora perché, per quanto in parte filtrati dalla trascrizione di un'eccellente giornalista, riconosco il suo tono, il suo stile e il suo carattere: vivace, ricercato, sentimentale, intimo, pudico, espansivo, stravolto, riservato, intemperante.

«L'ho trovata incantevole fin dalla prima volta che l'ho vista, quando cioè sono andata a prenderla all'Istituto. Quando io e mio marito avevamo chiesto di averla, l'avevamo vista soltanto nelle fotografie sui giornali. Prima che ce la affidassero, per alcune noiose lungaggini burocratiche, non avevamo mai avuto la possibilità di vederla. Finalmente, il 10 luglio ci hanno chiamato per andare a prenderla. Quando l'ho vista era in braccio a una delle assistenti del Brefotrofio, e mi sono avvicinata a lei, sorridendo.

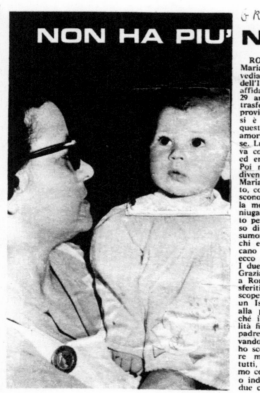

GRAND HOTEL
17 LUGLIO 1965

NON HA PIU' NESSUNO

ROMA - Ora non ha più nessuno, Maria Grazia, di otto mesi, che qui vediamo in braccio ad una vigilatrice dell'Istituto per l'Infanzia cui è stata affidata. Sua madre, Lucia Galante, di 29 anni, - una contadina che si era trasferita con il suo amante dalla provincia di Campobasso a Milano, - si è uccisa. Un destino crudele per questa innocente bimbetta, vittima di amori sbagliati, di passioni vergognose. Lucia, sposata a un contadino, aveva conosciuto un altro, l'anno scorso, ed era fuggita con lui verso il nord. Poi nasce la piccina, e la situazione diventa assurda. Benché asserisse che Maria Grazia era figlia di suo marito, costui afferma il contrario e ne disconosce la paternità; anzi, denuncia la moglie per abbandono di tetto coniugale e concubinaggio. A questo punto per la donna esplode un acuto senso di colpa: il peccato, gli errori, assumono dimensioni enormi, ai suoi occhi e a quelli del suo amante. Mancano i mezzi, manca tutto, e allora ecco subentrare la decisione estrema. I due decidono di abbandonare Maria Grazia su un prato di Villa Borghese a Roma (dove frattanto si erano trasferiti da Milano). La piccina viene scoperta da un passante, ricoverata in un Istituto. Lucia scrive una lettera alla polizia: «L'ho abbandonata perché il mio amico non aveva possibilità finanziarie e mio marito, cioè suo padre, diceva che non era sua. Trovandomi in condizioni disperate non ho scelto altro che la strada di lasciare mia figlia alla comprensione di tutti, e io con il mio amico pagheremo con la vita ciò che abbiamo fatto, o indovinato o sbagliato». L'indomani due cadaveri galleggiavano sul Tevere.

Confesso che mi sentivo commossa ed emozionata come non mi era mai accaduto prima. Maria Grazia, stranamente, mi ha subito gettato le braccia al collo e ha cominciato a giocherellare con i miei capelli. Quando è entrato mio marito e l'ha presa in braccio, gli ha fatto un sorrisetto e gli ha battuto amichevolmente la manina sulla spalla».

Papà convince Mamma a mandarmi in colonia in Liguria. Il distacco da Mamma è una completa perdita d'orientamento. Il bambino col moccio si chiama Mario. Dice Mi dai un bacetto? Rispondo Prima asciugati.

In parlatorio, Papà mi porta il «Corriere dei Ragazzi», col medaglione del calendario azteco in cuoio a sbalzo, un omaggio che odora di lacca e m'inquieta. Mi dondola sul petto la testimonianza di mondi più sconosciuti di questo, lontano da Mamma. A tanta distanza da Casa, Papà sembra più piccolo, il suo grande corpo arriva a riempire solo il fondo del vuoto dell'universo.
Il mare odora d'alga imputridita. Il mare porta via il cappellino di cotone bianco con la visiera

che Mamma mi ha comprato. Il 1974 è l'anno di *Anima mia*. Ti aspetterò dovessi odiare queste mura. Credo che a cantare quella promessa sia una ragazzina.

Detesto una per una le studentesse che Mamma porta in casa. Mamma è impegnata, Mamma mi porta sempre con sé: alle assemblee Cgil Scuola in via della Ferratella, ai Consigli di classe, alle gite scolastiche coi suoi alunni, in barca nelle Grotte di Frasassi, al Campidoglio. Mamma dice che, per passare il tempo, pulisco i portacenere coi volant in tulle delle gonnelline.

Ai Musei Vaticani, corro avanti. L'incontro con la mummia origina in me una lunga diffidenza per l'Egitto.

A volte Mamma mi mette seduta sulla cattedra mentre fa lezione. Sono il gioiello esposto nella teca.

Sfilo una Gauloises senza filtro dalla tasca di Padre e penso di fumarmela in santa pace, seduta sul gradino del terrazzo, che è uno dei miei posti preferiti. Da quel momento, non più.

I miei pantaloncini più belli sono blu scuro, pieni di tasche con le cerniere lampo e le impunture gialle. Hanno le tasche sempre gonfie di tesori: biglie, sassolini, conchiglie, cocci di bottiglia o di mosaico levigati dal mare, bottigline con soluzioni fetide che fabbrico io stessa. La migliore ha una base di pasta d'acciughe e collutorio. L'ho chiamata *Angoscìn.*

Mentre Mamma tiene gli esami di terza media, gioco a frisbee col cane della scuola, tra i pitosfori in fioritura estiva. Lo hanno chiamato Principe, perché la scuola è la Principessa di Piemonte. Principe è il figlio grande e biondo della scuola e odora di polvere e terra bagnata.

Data la pregressa amicizia con Principe, Mamma si lascia convincere a portare in casa un cane bianco trovato per strada. Lo chiamiamo Jolly, perché saltella sempre così allegro che sembra voglia uscire da una scatola invisibile. Mamma scopre che si tratta di un pastore maremmano. Dopo una settimana, Mamma mi porta dal fotografo a fare tre foto col cane. Quando torno da scuola, Jolly non c'è più.

Mamma ha una collega grassa col marito smilzo che lei schiavizza.
Mamma va fiera della propria indipendenza.
Mamma ce la fa da sola.

Quando Mamma va a insegnare al Liceo, faccio amicizia con le figlie della bidella. Accendiamo fuochi altissimi nei sotterranei della scuola.

A volte, sostituisco di nascosto i «Topolino» che ho già letto, nelle pile di quelli che i ragazzini vendono sul marciapiede. Tanto, per loro, l'uno vale l'altro.

In classe, vendo temi, in cambio di panini al salame (proibitissimo) e portamonete di perline colorate che, purtroppo, piacciono molto a Mamma.

Mamma mi dice spesso, con alterni umori, Sei un fiume senza argini.

Mamma che nella tarda primavera siede
sullo sgabello bianco del bagno, davanti alla va-
schetta di graniglia bianca con la fioritura degli iris,
la quale annuncia l'arrivo dell'estate. Maria Grazia,
non ripetere «che», sostituisci con «il quale, la quale». Maria Grazia, *guarda*! Le sfumature gialle, quel
raggiante colore di sole, alto sulle limonaie, come
si scioglie, nel viola, nel blu oltremare. Mamma, ti
sembrano vele che si allontanano, vero? Mamma,
colore e dolore, sulle tue labbra, come sono simili.
Io non lo dico. Io non lo so dire, non ancora.

Se abbiamo conservato bene i bulbi, se li abbiamo interrati alla profondità esatta e abbiamo dato
loro il giusto spazio, nell'odore selvaggio della terra smossa, lo sboccio è generoso e grande.

Gli scamiciati estivi di Mamma riproducono abbondanti fioriture. Le stoffe sono spesse e molto morbide, i fiori accompagnano le curve del corpo, fanno l'ombra sotto. Sul tuo corpo, ogni fiore ha la sua ombra e il suo stelo, che cerca luce oltre l'orizzonte.

Penso che Mamma ami tanto gli iris per il nome, uguale a quello della pasta fritta, ripiena di ricotta, o crema e amarena, che da ragazza poteva permettersi raramente, coi pochi soldi delle ripetizioni.

C'è una malinconia grande, nei suoi begli occhi neri, quando ricorda l'isola. Mamma, a che pensi? Mamma guarda fisso davanti, come se non vedesse. Mamma, dove sei? A volte Mamma vede solo quello che ha perduto. Allora, io l'abbraccio e le dico Mammina. Vuol dire Non lasciarmi qui sola.

D'estate, trascorro interi pomeriggi ipnotici, intagliando col traforo imperscrutabili sagome in compensato d'abete, che poi spalmo di azzurri, verdi e gialli brillanti e ripasso col fissativo VerniDas. Rifinisco con appendici e strisce, piccole ali di stagnola, che vengono da un mondo illuminato. Quando, alla sera, Mamma e io ci laviamo i denti fra quelle figure inventate, messe ad asciugare lungo i bordi della vasca da bagno, Mamma è una polveriera che ogni tanto brilla, al centro di una psiche infantile che si è fatta materia. È un'esposizione fiduciosa e calma. La clessidra del dentifricio Actifluor segna un tempo che non finisce mai.

Nel portafoglio di Padre troviamo, sovrapposte in ordine ascendente, le ultime foto che gli abbiamo dato: sono io in costume da Carnevale.

1973: Principe Azzurro, con spadino di plastica e mantello.
1974: paggio, con lo spadino dell'anno precedente e senza mantello.
1975: capo indiano, col copricapo di penne, l'accetta alla cintura e la freccia a ventosa incoccata nell'arco, i mocassini consumati in punta dai calci dati al pallone nelle sfide in piazzetta fra i ragazzini del quartiere.
Quando arriva una macchina si grida Macchina! e ci si ferma.

A volte qualcuno grida apposta per fermare il gioco, se quest'ultimo gli è sfavorevole.

1976, l'estate dopo

La prima estate Mamma prova a gettarci ancora in braccio alla vita.
Le amiche vogliono portare Mamma a distrarsi.
Mamma si lascia portare.

La gita di primavera nasce con una fiamma spaventosa, prodotta dalla carne cotta in un eccesso di brandy. Al ritorno, lo scorrimento delle file di auto incolonnate è lentissimo. Vedo due macchine ridotte a pugni sferrati l'una contro l'altra ed entrambe contro un buio definitivo. Vedo la macchia di sangue allargarsi lentamente sul lenzuolo bianco che copre i morti.

Molti dicono La piccola ha bisogno di un Padre. Alcuni tra essi parlano per interesse.

Andiamo nella casa del professor Favaloro, tra le vigne di Fara Sabina. Il professor Favaloro ha una barboncina nera di nome Susy, che ama rotolarsi fra gli escrementi settembrini, coi quali si concimano le vigne appena vendemmiate. Mamma non mi permette di giocare con quel cane ambiguo. Non mi resta che disegnare a matita l'intera costruzione di proprietà di Favaloro, composta da moltissime ombre, scale, tagli di luce nei vigneti.

Con la matita non fermo le voci. La voce di Mamma, che mi orienta tra le ombre oblique della grande campagna zuccherina. Né il ronzio delle api sotto la pergola. O l'odore dell'uva appena spremuta. Tesoro, vieni qui, assaggia il vino. Mamma scherza. Mamma è tornata un po' allegra. A questo servono le nostre parole della sera, questo mondo inventato dalle origini.

E servono a rianimare la visita alla famiglia dei colleghi con casa di campagna ad Allumiere. Il nome sa di suolo lunare, di cumuli di polveri argentee, mi fa paura. Una volpe impagliata in mezzo all'ingresso semibuio. Occhi di vetro nero e pelo irsuto. In giardino, scopro che mantide divora mantide. Il figlio dei colleghi è esangue e timido come la mantide divorata.

Il ragazzino abbronzato che zappa l'orto in canottiera, invece, passa la fionda attraverso le maglie della rete. Tiriamo insieme, all'aria sopra gli alberi e alle rondini che filano contro il tramonto, fin che il disco del sole sparisce dentro la sera, che profuma di menta selvatica. I nostri sassi in volo sono anticorpi azzurri nell'azzurro. L'aria si muove al raso della terra come il corpo di un animale oscuro. Il ragazzino si lecca le labbra, ha già un'ombra sul labbro superiore.

La parte delle gite che preferisco è il ritorno, quando, cotta dal sole e dalla polvere, mi addormento sul sedile di dietro della macchina e la macchina ronza e i discorsi dei grandi sembrano casa.

Quell'estate facciamo anche l'unica vacanza di tutta la vita. Hanno detto a Mamma che Principina a Mare è un posto adatto per le famiglie. Pedalando da sola nella pineta, fondo l'associazione definitiva tra bicicletta e libertà. La notte, sogno che una tigre sfonda la porta della nostra camera. Mi sveglio e mi pare d'essere sola.

Questa è anche l'estate della nube tossica. Il 10 luglio del Settantasei si apre la valvola di un reattore dell'ICMESA di Meda. L'apertura evita l'esplosione, ma rilascia nell'aria quattrocento chili di TCDD (tetraclorodibenzo-p-diossina), una formazione aerea di polveri bianche, che ricade sui comuni brianzoli di Seveso, Cesano Maderno, Desio, Limbiate e lo stesso Meda, avvelenandoli. Si parla di immediata moria di bestiame, animali domestici e uccelli. Il gesuita Virginio Rotondi, nei cinque minuti radiofonici di «Ascolta, si fa sera», fa in tempo a dire che il viso di molti bambini rimarrà sfigurato (dalla cloracne).

Durante la guerra del Vietnam, dal 1961 e per i successivi dieci anni, il micidiale defoliante TCDD «Agent Orange» era stato irrorato dall'esercito statunitense su tutto il Vietnam del Sud, perché i Viet Cong non avessero letteralmente più dove imboscarsi. Ne erano derivate gravissime malformazioni fetali e un vasto assortimento di carcinomi, questi ultimi distribuiti fra la popolazione vietnamita e gli stessi aggressori americani.

Mi appassiono alla lettura de *Il gran sole di Hiroscima* (*sic*), di Karl Bruckner (Bemporad Marzocco 1967). Mi colpisce moltissimo che le ombre dei miei coetanei giapponesi siano rimaste impresse su muri e scalinate. Mamma, l'ombra di quei bambini non cresce più?
Mamma sorride appena, non risponde. Non dice che quei corpi minuti hanno solo coperto le porzioni di muri e scalinate dove posavano, proteggendoli – senza volerlo – dallo sbiancamento nucleare; non dice che quelle non sono ombre, bensì l'ultima traccia di un solido umano, ciò che resta di un uomo prima di sparire nel vento atomico.

Una sera Mamma mi rinviene sotto il letto, disperata perché «Non voglio crescere». Voglio essere l'ombra, fissa per sempre, di una bambina. Voglio che niente cambi. Tempo, lasciami

qui, in questa solitudine amante, in questo in-
condizionato

comprendere. Come maneggiare gli oggetti iper-
sensibili che vivono dentro i bambini?

Dieci anni dopo, il 26 aprile 1986, esplode il
reattore nucleare ucraino di Černobyl'. «Compagni, mentre temporaneamente libererete le
vostre case, per favore, non dimenticate di: chiudere tutte le finestre, spegnere tutti gli impianti
elettrici e del gas e chiudere i rubinetti». Stral-
cio del messaggio di evacuazione trasmesso il 27
aprile dagli altoparlanti militari di Černobyl' e
Pryp"jat'. L'evacuazione

sarà definitiva. Nonostante ciò, il costo in vite
umane è superiore al milione. Una strage dovuta alla degenerazione dell'orgoglio nazionale di
un popolo amato. Una strage dovuta all'occulta-
mento di informazioni scientifiche, da parte del
governo sovietico, che tace anche ai suoi tecnici
nucleari la pericolosità del sistema di arresto della reattività, in caso di surriscaldamento del nu-
cleo. Il rischio si spiega col bisogno di contenere i
costi di produzione. Soprattutto: le barre di con-
trollo, le prime a venire a contatto con l'eventua-
le incandescenza anomala del nòcciolo, in URSS

terminano con punte in economica e incendiaria grafite, anziché in più costoso carbonato di boro, che avrebbe effetto immediato di assorbimento dell'energia in eccesso. Ma chi preme il pulsante di arresto non lo sa. Risparmio di rubli equivale a sperpero di corpi umani (e animali) e al sacrificio di quarantamila tra compagni minatori, liquidatori e pompieri: «Servo l'Unione Sovietica».

Per mesi, Mamma non mi fa bere latte e non compra funghi o insalata. Ne pagheremo comunque le conseguenze, in molti. Soprattutto le donne. La radioattività è un'astrazione che fa impazzire la materia. È un decadimento dell'economia, che attraversa le cellule di singoli, lontanissimi corpi: sangui, tiroidi, uteri, midolli, occhi, pelle, capelli. Una contaminazione globale, da remoto. La radioattività è paziente e maligna come la vendetta e la pazzia: brucia quello che tocca, colpisce quando meno te lo aspetti.

Mamma e io al Belvedere del Pincio. È la fine dell'estate. Mamma sta aprendo la sua bella borsa a valigetta di paglia bianca per darmi le cinquanta lire per il cannocchiale. La foto è fatta da un corteggiatore respinto. Mamma è semplice, Mamma è davvero bella, nei vestitini estivi di maglina a fiori, coi fili di perline colorate infilate da me. Mamma ha sessant'anni e ne mostra quaranta. Si sforza di sorridere, ma proprio non ce la fa. I suoi begli occhi neri, miopi e intelligenti, hanno d'intorno un cerchio di dolore, che tira la figura verso la terra dove si riposa. Mamma ha svuotato i cassetti di Padre, ha regalato tutti i suoi vestiti. Mamma è malinconica e fragile come la prima foglia dell'autunno. Io sono il bel bambino coi capelli corti, la maglietta di Zanna Bianca e i jeans con la cintura a fibbia ovale. Prima di farmi entrare nel camerino, la giovane commessa della Upim mi tocca, per appurare che io non sia un maschietto che vuole ficcarsi negli spogliatoi delle femmine. L'evidenza la lascia interdetta.

Sono la guardia del corpo di Mamma.
Costruisco armi con listelli di legno e mollette, che sparano elastici a distanza apprezzabile. Alleno la mira. Mamma, non essere triste. Ci sono io.

8 giugno

Inferno

Piazza dell'Alberone. Madre è distesa sull'asfalto e piange mentre dice che adesso muore. Sono paralizzata, incapace, inadeguata, inerte. Alla prova dei fatti, non sono all'altezza. Contro cosa sparo i miei elastici colorati?

Il corpo caduto di Madre scava una vertigine nell'asfalto. Guardo dal ciglio l'abisso dove Lei è caduta.

Madre mi urla contro: Aiuta tua Madre!, il volto deformato dall'incredulità, dal disinganno e qualcos'altro che non ho mai visto. La sollevo, ma non vorrei toccarla. È la prima volta.

La seconda estate dopo la scomparsa di Padre, Madre – che si è sempre riferita a Padre chiamandolo, con rispettoso distacco, Calandrone, e ha sempre ostentato la posa di non riamarlo – comincia a cadere qui e là. Madre è convinta di avere la stessa malattia di Padre.

Madre mi dice tutti i giorni che adesso muore.

Madre dice che la rimpiangerò.

Intanto che è viva, ne approfitta per cambiarmi scuola.
Comincio la seconda media in un prefabbricato freddissimo e bianco, un'ala distaccata della scuola dove Madre insegna. Non voglio stare nell'area di Madre. Ho paura.

Il 1977 è l'anno di *Ti amo* di Umberto Tozzi. E chiedo perdono. Mamma, che ti ho fatto? Le sottane nella luce. Mamma tiene le calze nel cassetto. Mamma sdraiata nella controra. Sul suo corpo, le strisce di luce della serranda fanno curve morbide, sono piccole strade di sole. Mamma, dove sei?

Dopo due mesi, mi ricolloca nella scuola d'origine. Media sperimentale a tempo pieno. Gioco in cortile coi maschi. Le femmine sono tutte trucchi, profumi e zeppe di corda.

Tranne Silvia, una piccola atleta orfana di madre, col mito di Nadia Comăneci, una sorella schizofrenica e un papà geometra, che in estate ci porta a Corchiano dalla nuova moglie. Tutto odora di fresco: la nuova mamma, coi capelli corti, gli occhi neri e una bocca fatta per i baci, la casa appena rimbiancata, con la scala pulita in lastra bianca, il torrente che scorre e serpeggia tra cespugli di more, il pane delle vipere, lucido e rosso, che oscilla nella mezz'ombra fresca del sottobosco: Bambine, state lontane

dalle cose troppo belle!, gli asciugamani di bu-
cato stesi sul greto, l'orto della nonna che affetta
il salame di cioccolata e biscotti nella penombra
della casa, il motorino che sgasa nel polverone
dello sterrato fuori. Questa è vita! La vita
non si dimentica.

Madre non dorme più. La radiolina accesa tutta la notte. Radio 3. Ogni notte, il «Racconto di mezzanotte». Poe, *La maschera della morte rossa*. *La Cosa*.

Mamma mi manda al mare con le suore. Partenza ogni mattina e rientro al tramonto. Mamma che dice Povera bambina perché un giorno che piove le suore ci portano a visitare la casa di Maria Goretti. Mamma non sa che in cabina ci abbassiamo i costumi, quel tanto che basta. Aspetta, fammi guardare bene. L'altoparlante sotto la palizzata trasmette *Bella da morire*. Laura ha tredici anni e si identifica, balla col costumino alle ginocchia e si scuote i capelli con le mani. I suoi capelli sono lunghi e neri. Dice L'ho visto alla televisione. Io non ho la televisione. Io sono gelosa di Maria Goretti.

Madre mi punisce per colpe immaginarie lasciandomi senza cibo. Però possiedo il «Costruttore Meccanico» Bral 5. Fabbrico gru dai lunghissimi bracci, coi quali aggancio vettovaglie attraverso spiragli di porte e finestre.

Ognuno organizzi il suo rifugio nello scenario dell'Inferno.

Madre organizza di picchiarmi durante il sonno.
Madre dorme con la bacchetta di legno sotto il cuscino.
È uno dei listelli che si utilizzano per decorare gli angoli dei salotti borghesi.
Questo viene dalla nostra sala da pranzo.

A casa nostra non entra più nessuno. Solo una volta, viene imbandito un posto al tavolo di marmo, pergamena e cristallo verde marino decorato in oro, che occupa quasi per intero la sala da pranzo. Il fortunato commensale è un prete, don Scandola, che morirà in uno scontro ferroviario. Madre dice che lui aveva un appuntamento con la morte, dice che aveva ceduto il posto a una signora e così era finito nella carrozza di testa, investita in pieno nel frontale. Madre dice che è morto per salvare la signora. Decifro il messaggio di Madre. Sono pronta a cederle il posto.

Madre riempie buste di plastica della Standa coi vasetti vuoti della marmellata e dei sottaceti Saclà. «Dammi solo un minuto, un soffio di fiato, un attimo ancora», cantano i Pooh.

Talvolta Madre m'insulta in latino. Consulto «IL – Vocabolario della lingua latina» di Luigi Castiglioni e Scevola Mariotti. *Rustica progenie semper villana fuit*. Forse quel *fuit* ascrive l'insulto a un tempo passato. *Fui* villana. E adesso?

Esco una sola sera a settimana, per andare nel palazzo accanto, a casa di Marrica, la figlia di un amico di Madre, un Questore di Pisa. Guardiamo «Noi e gli UFO», un programma di Eufemio Del Buono ed Enzo Buscemi, trasmesso dall'emittente laziale Quinta Rete. Marrica è assediata dai suoi vent'anni, oscilla tra macrobiotica e cucina da fiera paesana, frigge alternativamente radici di loto e salsicce spaccate per il lungo. Riempio quaderni di articoli sul paranormale e avvistamenti alieni, rubo un libro bellissimo dalla biblioteca del Liceo di Madre: *Scoperte psichiche dietro la cortina di ferro*, della Collana Mondi Sconosciuti. Che me ne devo fare di questo mondo. Madre urla a gran voce sul pianerottolo del palazzo che mi prostituisco. Dice che ho co-

minciato col fratello di Marrica, venuto in visita.
«Tu, chi mi brucia sei tu». Mamma, che fine hai
fatto, dove sei andata?

Rompo col pugno il cristallo azzurro della scrivania. È rimasto così, con la forma scheggiata del mio pugno di quattordicenne. Ci lavoro sopra.

Il 1977 è un anno qualunque del Ventesimo secolo. In esso

Madre mi accusa di avere rapinato una banca a Firenze. Madre gira per casa con la borsetta sotto il braccio.

Madre getta i soldi della mia paghetta sul pavimento accanto alla tazza del cesso, come adesso lo chiama. Tu non sei mia Figlia, sei una puttana (alternativamente declinato in pazza) come tua madre. Non lo dico, ma concordiamo sul punto. Io non sono tua Figlia.

Mi sigillo. Una lastra polare d'indifferenza. Niente mi tocca. Anzi, ogni tanto devo soffocare uno zampillo di riso. Non si ride in faccia alla madre che muore.

Trasformo il riso innominabile degli Abbandonati nel trattatello notarile *Sul Grande Silenzio*, dal quale estraggo tre ritagli, a campione di un'epoca di collera fredda e mefitiche sciccherie nietzschiane:

«Chi diventa adulto accanto a un Grande Amato che, come contraccambio, gli inietta nelle vene il veleno verdeglaciale del Disamore, raramente ha fatto, prima, esperienza del caldo e pur calamitoso avvicinarsi umano: la vita intera è un frutto già maturo del disincanto, spiccato quasi senza pena dall'albero della solitudine (e dell'essere deprecati, in maniere più e meno visibili). L'incombere continuo di una tempesta, insomma, vendicativa di quel suo esistere in quanto *mostriciattolo*, sì, ma talmente nuovo!

*

Quando il malvivere è viceversa preceduto da
una prima infanzia felice, il danno non è calco-
labile:
è possibile che quei primi anni siano bastati a
formare una personalità salutare, che va a matu-
razione come un'arancia, è possibile che s'inge-
neri in essa l'immedicabile tignola di un paradiso
perduto o, ancora, che lo shock del cambiamen-
to produca nel non amato un istantaneo convin-
cimento di austera colpevolezza, che non verrà
mai più revisionato dal Tribunale interiore.
O tutto insieme, contemporaneamente e in alter-
nanza. Come in tutti.

*

Tuttavia, in qualunque momento esso abbia
avuto inizio, il danno collaterale del Disamore,
ricevuto nell'enormità dell'infanzia, vasta come
un'era, sta nella nostalgia del suo veleno: chi lo
riceve vi si affeziona, ne vorrebbe riscuotere ma-
gari dell'altro e, crescendo, può talvolta cercare
di riempirsene ancora le tasche, per rimpianto di
cosa fantasticata pari a un gruzzolo di pepite d'o-
ro. L'oro dell'abitudine, non altro.

Tutto vero, fin che lo crederà: chiunque si dispone a non amare chi non ha l'impudicizia di amare se stesso e si espone all'amore e al disamore altrui come senza ferita, o intelligenza.

I non amati sono mesti sovrani del proprio destino, nel museo vivente della terra».

Tanto più verosimile se Disamore emana da un corpo flagrante, radioattivo e radioso di Madre.

Tanto più verosimile se Madre è adottiva, Madre d'elezione, e la *mostriciattola* allora scrivente, nella sua indecorosa onnipotenza ur-infantile, si era già incriminata della morte della prima Mamma. Biologica, Naturale, come la vogliamo chiamare?
Non chiamiamola Vera, perché l'attribuzione di quell'aggettivo ha implicato giudizi di valore e da esso è discesa l'ormai nota rovina.

A tredici anni neanche compiuti entro alle Superiori e acchiappo per la coda l'ultimo grande movimento politico. Nell'anno scolastico 1977/78 il Liceo «Augusto» è un arrogante e appassionato sboccio di *animulae* intente a perlustrare, col giovanissimo intelletto, il mondo vasto e complesso degli anni di piombo. Là fuori è il tempo delle P38. Assemblee, collettivi, gruppi di ragazzini contrariati dal compromesso storico, duri scontri tra omologhi pensanti, *Compagno sì, compagno no, compagno un cazz*, manifestazioni, scoppi di Molotov che di notte mi svegliano col sorriso, perché sono quelle piazzate dai compagni alla sede dei fasci di via Noto, dove vengono addestrati i picchiatori, essendo frequentata da irriducibili come Pino Rauti e «er Pecora» Teodoro Buontempo. E però la vergogna immedicabile dei ragazzi freddati a scariche di mitraglietta davanti alla sede del Movimento Sociale Italiano in via Acca Larenzia e, su tutto, la sconvolgente esecuzione di Aldo Moro. Il mondo arde, tridimensionale. Visto da questo tempo, il mondo in sé sconvolto dalla sua ultima, disperata, violentissima e per ciò inutile, richiesta di libertà.

Noto con imbarazzo che, talvolta, qualcuno viene preso da invitta simpatia della mia persona. Nella primavera Settantotto la mia compagna di ginnasio Cecilia Angrisano, oggi Presidente del Tribunale per i Minorenni de l'Aquila, manifesta la sua precoce inclinazione per la giustizia minorile impegnandosi a parlare con Madre. Non sa dell'Inferno, vuole soltanto chiederle di farmi uscire, ogni tanto. Quando Madre mi accusa di avere rotto i tubi dentro i muri del bagno, la piccola Magistrato si mette a piangere e abbandona l'impresa. Io credo a Madre.

Accade che diventiamo quello che gli altri pensano che siamo. A volte, già adulti, ci adeguiamo per pigrizia, o cortesia, per non cercare il pedantissimo pelo nell'occhio che l'altro posa su di noi; ma il secondamento delle ipotesi altrui sul nostro conto si manifesta sempre, fisiologicamente, durante il laboratorio umano dei *Verdes Años* (come li chiama Carlos Paredes), quando ciascuno saggia il territorio del proprio complesso psicofisico e seleziona, setaccia, infine sceglie quali parti di sé presenterà, potenziate, al futuro.

Sebbene abbia poi impresso alla mia vita una più laboriosa direzione, quella notte sperimento, con successo, la mia abilità nel furto.

Essendosi Madre incautamente consegnata al sonno, rubo centomila lire dalla sua bella borsetta di paglia bianca (la stessa che due anni prima lei apriva per me che la proteggevo da oltraggi e lusinghe mondane con lo sparaelastici), per comprare attrezzature che giudico indispensabili: una bici usata e un frigorifero. Dalla nostra alimentazione scompaiono giallastri parallelepipedi di fiordilatte e prosciutto verdognolo, benché dotato di pregevoli variegature bronzee. Hai la faccia di bronzo. Non senti niente. Mi vedi che divento rossa e rimani impassibile. A quattordici anni osservo da entomologa lo spettacolo che a dodici mi terrorizzava. L'umano scomposto nella sua maschera disperata. Questa solitudine violenta è la donna che amavo, più della vita.

Gli oggetti sono bianchi e indifferenti. Gli oggetti non sanno niente. Vengono aperti o chiusi, dipanati, caricati, imbracciati, arrotolati, accesi, avvitati e svitati dalle stesse mani. Ma le mani non sono più le stesse. La vita che le muove, non è quella. Non più. Gli oggetti vengono adoperati dalle stesse mani, in un'altra vita. Essi sono solo un poco più opachi, o più sfibrati. Fanno filacce, a volte. Ma non perdono sangue. Gli oggetti sono pieni di decoro. La loro «polvere / è la carne del tempo; carne e sangue», scrive Iosif Brodskij. Vediamo il Tempo, nello sgretolamento degli oggetti. La polvere che cade dalle nostre mani è invisibile. Le mani perdono sangue che non vediamo. Il sangue invisibile, perduto dalle mani, è il Tempo. Anch'io sono caduta come polvere. Anch'io sono caduta, insieme al Tempo, dalle tue belle mani. Le belle mani che tintinnano, quando le muovi per lavarti il viso, perché la fede di Padre ti sta larga, e colpisce la tua. Quando le muovi. Quando le muovi nell'acqua, quando affetti una piccola forma di pane, quando sbucci una mela, quando carichi l'orologetto d'oro della laurea. Quando le porti al petto, a discolparti.

Esterno, *deboscia*

Sporadicamente, nei pomeriggi estivi del Settantotto, Madre mi dà il permesso di raggiungere i compagni a casa di Carlotta. Carlotta vive in carrozzella, ha una villetta immersa nel profumo dei tigli, una tata che prepara multistratificati vassoi di merende ma, soprattutto, possiede un giradischi con casse possenti, dalle quali affluisce ininterrotto ai cuori il magma musicale che li determina: *Time* (Pink Floyd) *...and then there were three...* (Genesis) e *Generale* (Francesco De Gregori).

Carlotta è a sua volta munita di madre che, per chi sa che intuìto retroscena, propone a Madre di trasferirmi a lei, in adozione.
Vedo che sono oggetto di un mercanteggiare oscuro. Dove sta la salvezza? Cos'è meno infer-

nale, nell'inferno del vivere, del quale siamo involontari precipitati?

«*Oh, mama* / Mamma
Please would you find the key / Per favore, trova la chiave
Oh, pretty mama / Mammina
Please won't you let me go free / Per favore, non lasciarmi andare».

Vedo che Madre valuta la proposta e viene in visita a casa di Carlotta. Madre apre la porta su un melodioso circoletto di ragazzini in sandali o espadrillas, intenti a riprodurre i formativi canti di cui sopra.
Madre delibera, senza appello, che trattasi di *deboscia*. La realtà non esiste. La realtà è solo un punto di vista.

Madre è così delusa da me che rinuncia a educarmi. Madre decide che, per raddrizzarmi, ci vuole un Collegio di Suore.

Niente come la vita
(il Collegio di Suore)

Nonostante manifesti vivo dissenso smettendo di mangiare, vengo implicata come una trista modanatura semiviva nei veli neri delle religiose, dal vampiresco e terrifico nome di Adoratrici Del Preziosissimo Sangue (con Maiuscola preposizione articolata).

Il mio corpo è una pallina da flipper, finita a rotolare senza voglia sui percorsi obbligati di scaloni in marmo e camerate dove, nei fermentanti sabato pomeriggio, le educande si preparano a uscire, arricciandosi i capelli con fusiformi congegni arroventati ed esponendo se stesse e le immediate circostanze a rischio di combustione, poiché scatenano i fianchi al ritmo di *Le Freak* (Aaahh, freak out!), mentre si acconciano le belle chiome.

Già riccia in proprio, malgrado i disperati tentativi rieducativi del capello da parte di Madre, rispondo a tutto volume col più metodico *Another brick in the Wall* (We don't need no thought control).
Una disfida musicale tra mondi pensati.

Siccome Madre accetta raramente le mie visite, spesso rimango *dentro* pure di domenica, sola con le suore. La mensa grande come un aeroporto. La schiera nera, svigorita, manducante. Muta mandria di ruminanti sacri. In essa, spicca il profano. C'è una suorina bruna sui quaranta che veste in blu e, in vece di equilibrate magline girocollo, porta la camicetta, coi primi due bottoni sbottonati e i colli a punta vertiginosa, svoltati su giacchetti sfiancati e attillatissimi. Impossibile non notarla.

L'aria del Collegio è satura di depositi ormonali, acri e violacei come aceto madre. Nel basso, si avvoltola il serpe lanceolato e squamoso dello sconforto, sublimato dal canto e fatto ascendere sotto forma di gaudio dell'altresì auspicata dipartita dal bruto mondo. Un grigiolatteo malcontento biologico, traslocato nell'alto dei cieli, si aggira ovunque. Lo sento trascinare i piedi, nei piedi calzati di pianelle in feltro (generalmente cineree). Lo strazio ormai denaturato di non essere e l'ambiguo piacere di molestarsi il corpo con zibaldoni del cattivo gusto.

Le celle delle suore sono disposte ai lati di un lungo corridoio, e tenebroso alquanto. Le celle dove le suore si ritirano a sera sono loculi, dai quali all'alba sorgono spettri pieni d'ardore. Alla sera, le porte delle celle assorbono i rivoli dei puri corpi umiliati e, prima dell'alba, da ogni porta risorga la cannella di un organismo ancora senza veli, spettinato, con la bocca che, per quell'automatismo che chiamiamo vita, intona il Mattinale.

22/7/90

Col passare dei mesi, le divido in due schiatte critiche, di ordine cronologico. La prima, non del tutto guastata dall'avvilimento. Sotto l'appretto delle divise, le suore giovani hanno corpi ricchi, cedevoli, aromatici, che ancora sanno il vero da dove vengono. I gesti delle anziane, viceversa, sono esangui, gravati da stratificazioni di disincanto. Sono le danneggiate di lungo corso. Ogni anno ch'è morto nella loro vita, ha serrato un novello bracciale di galleggiamento al mare senza futuro dei loro polsi. Rare sono le mistiche, le dardeggiate, le colpite nei visceri dall'oro del messaggio perveniente dall'angelico Nulla, quelle che condividono il mistero gaudioso del definitivo non esserci di ogni Dio. Quasi tutte finiscono, piuttosto, per presentare occhi duri, vendicativi e secchi come spade. Da essi, soffia l'ossido, il verderame di un ossimorico rancore bovino.

Sento gli sguardi di quelle ragazzine di campagne che un tempo furono assolate, inveleniti ormai da decenni di ombre claustrali e dall'invereconda compassione di sé, che tempo e privazione hanno mutato in contrastato livore per i giovani corpi delle educande.

Tra i quali corpi di fanciulle in fiore, data l'insopportata repressione, si sviluppano intrecci imprevedibili. La vita prova un penoso amore per la vita. Per non uscire d'esercizio, la vita sfiora quel che di ancora vivo trova presso di sé.
È toccante. È illuminante.

Chi ha insegnato a volare al primo uccello del mondo? Quale istinto?
l'ha levato dal guscio, dal ramo, dall'erba irrigidita dalla brina o dalla secca vampa delle origini dove l'aveva collocato Natura, nel remoto albeggiare del pianeta?

Suor Maria è l'unica visitata da vocazione. Magrissima, ironica, paziente, concreta come i compagni operai, come loro fornita di baffetti neri e cuore d'oro. Di sabato sera, quando ci riuniamo per guardare la televisione, Maria prepara una provvidenziale camomilla, mentre Loretta Goggi canta *L'aria del sabato sera*. Comincerà che non voglio e dopo mi spoglio. Intelligente, elegante, fiera del proprio ammiccare senza sorriso, solo col nero magnete degli occhi, Loretta Goggi somiglia tanto a Mamma. E lascerò che tra noi tutto ritorni com'era. Provo un dolore spesso e senza rimedio. Il dolore del Tempo, perduto per sempre. Chi non lo conosce? In esso confluisce un'intelligenza inattesa, l'evidenza di quello che siamo, in questa camerata, casuale come il mondo: universi contigui, ciascuno col suo monolito di dolore e gioia, sconosciuto a se stesso. Ciascuno col suo diritto. Quel che riguarda me, riguarda tutti.

Devo trovare il modo di sfondare il guscio, l'astuccio, il carapace, la concrezione mortale, che contiene ciascuno e, così contenendo, ci divide. Devo arrivare al cuore radiale della vita, all'infinito dentro le persone – e che lega persona a persona – e tutte queste creature, meravigliose e misere, all'eternità barbara e incandescente delle stelle.

Beviamo come latte l'ombra dei pomeriggi di primavera, come i colibrì suggono il nettare dell'*Heliconia tortuosa*. Quando abbiamo paura, restiamo in volo da fermi. Niente come la vita luccica e splende contro il fondale buio dell'Universo, chiede al buio meraviglia.

Per sfuggire l'onnipresente sentore di femmina occlusa dal peso morbilente delle lane nere e viluppi di fasce inamidate, prendo l'abitudine di portare seggiola e tavolino nel corridoio dell'internato. Studio, sola, davanti ai finestroni. Talvolta me ne vado con la testa, vedo l'ombra dell'ombra del mondo e vedo che la luce, nel cortile, è larga come quella del mare dell'infanzia e la luce del mare dell'infanzia pulsa come un cuore, nel cuore abbandonato delle cose. Allora, scrivo poesie. Parole come leve, martelli, frecce puntate a qualcosa che vibra e non ha nome o parola. Musica originaria che, a tratti, mi pare di sentire. Questa grande armonia significante mi orienta. Fabbrico e forgio al fuoco dell'Inferno senza dolore, forgio col fuoco stesso dell'Inferno. Ho trovato la pietra filosofale, l'officina alchemica dove ogni dolore viene ridato al mondo come bellezza. Bussole e armi dei disarmati sono, le parole.

Molti anni dopo, durante i laboratori nelle carceri, alcuni detenuti confesseranno di aver cominciato a scrivere poesie, in cella. Parole come ponti lanciati sulla distanza. Sempre fallendo. Sempre ricominciando.

Perché lei sì e noi no? protestano le internate dei giorni feriali. Lasciatela stare, ha una brutta situazione a casa. Il peso morto della pena altrui, carezzevole e ottusa. Il molle senza fondo della pietà monacale.

Gli anni Ottanta
hanno rovinato il mondo

Dopo due anni nel Collegio di Suore, la Suora in Blu riesce nella sua opera di conversione, antica come il mondo. Madre diffida della purezza della mia fede. Poiché, ai suoi occhi, Dio pesa meno dei canestrelli che porto, nelle pur rare domeniche in famiglia, mi disconverto.

Adesso a Madre piacciono i fatti, non è più sentimentale, la domenica non perde mica tempo a crogiolarsi nel letto. Madre non sta più comoda nel corpo.

Prendo il sole in balcone accompagnando i Boney M. col coro muto. «*Now how shall we sing the Lord's song / In a strange land?*

Siamo seri: come possiamo cantare inni al Signore / In terra straniera?»

Madre dice Ti colpirò nella cosa a cui tieni di più.

Vengo cioè sottoposta da Madre a una forza di manomissione uguale e contraria a quella con la quale mi ha ficcata come un dente, nato storto e riottoso, nella gengiva risucchiante del Collegio di Suore. Madre vuole estirparmi da dove mi ha impiantata. Io però, nel frattempo, ho radicato attaccamenti.

Madre mi denuncia per percosse.

L'avvocato d'ufficio è una brunetta sfibrata. Dice Però al processo vieni vestita carina, così pari 'na zecca rossa, al Giudice non fai buona impressione. Madre rinuncia a venire, nel Tribunale di Piazzale Clodio, Settore Penale. Viene tuttavia il Giudice, e vengono i condomini del nostro palazzo. Sono pronta a esporre il petto a una foresta di indici puntati contro di me. Invece, sono tutti a mio favore. Sento l'imperdonabile oscenità dell'io. L'io ha valore soltanto quando è tuo. Dicono cose che non voglio sapere. Mi metto a piangere, difendo Madre. Nonostante ciò, vengo assolta. Il fatto non sussiste.

Per tappe ondivaghe e contraddicentesi, abbandono infine il Matrimoniale e mi trasferisco a dormire sullo scomodissimo divano azzurro del soggiorno. Tutto è nulla, ci spiega Giacomino. Pure le molle oblique del sofà.

Dalla discoteca sotto casa sale il rimbombo di *Upside Down* di Diana Ross, non più coperto dai concerti trasmessi dall'insonne radiolina di Madre. La roccaforte della mia Hit Parade isolazionista e analogica, fatta di *America* (e ognuno ha il suo corpo a cui sa cosa chiedere) e *Fotoromanza* (questo amore è una camera a gas), *Ricominciamo* (io ci provo: ti seguo, ti curo) e *Ci vorrebbe un amico* (per poterti dimenticare), viene percossa dell'elettronica di un mondo dialogante, e disponibile all'evoluzione (*Upside down / Boy, you turn me*).

4 febbraio 1984. Madre dice che le è piaciuta tanto *Terra Promessa*, la canzone che ha vinto il Festival di Sanremo. Madre dice che parla di bravi ragazzi di periferia, così pieni di sogni e di speranze... Le frasi di Madre sono sempre affollate di sottintesi. Le frasi di Madre sono irte come trappole. Le frasi di Madre sono armi bianche. E ci mancava pure la competizione con Eros. Ramazzotti, stavolta.

6 gennaio 1985. Madre mi dà cinquantamila lire perché la neve ha ricoperto Roma. Dice Te lo ricorderai questo giorno.

Dilapido le cinquantamila lire di Madre per recarmi a Cologno Monzese, dove intendo mostrare a Ornella Muti i disegni che faccio da anni, di una donna che sogno e mi pare le somigli.

Parto all'alba. A Milano, trovo tanta più neve che a Roma. Ho le scarpe completamente zuppe, spendo gli ultimi spicci a una bancarella, per comprare un paio di stivali verdi da pescatore e, calzatili, installarmi con essi nel bianco assoluto all'ingresso degli studi di Canale 5.
Dieci ore dopo, la signora Muti mi riceve, in pelliccia bianca nel bianco. Sfogliamo gli sciorinati disegni in piedi nel cortile. Riscontriamo dal vero l'ipotizzata somiglianza, tanto evidente quanto misteriosa: non l'ho mai vista al cinema e, fino a una settimana prima, non possedevo il televisore.

Accendendo per la prima volta il sospirato appa-
recchio, ho incontrato il suo volto in uno spot di
«Premiatissima» e sono rimasta come un baccalà
in mezzo al salotto. Così dico. Mi crede, mi cre-
dono tutti.

Poiché non so dove dormire, la segretaria di produzione della rete, Raffaella, mi invita addirittu-
ra nella sua casa, mi offre un rincuorante pasto
caldo e mi parla per tutta la notte di storie di vite
precedenti. Il mattino che segue è immerso in
una nebbia suggestiva, mai vista.

Di mestiere ipnotizzo persone e le faccio tornare come nuove. Risciacquo insicurezze e anime perse. Nottetempo, Raffaella mi ha infatti incoraggiata a indagare il mistero del cosmico Nulla intruppandomi nell'allevamento intensivo di invasati detto Scientology.

In quelle fila pseudo-militari, dopo un corso di studi sorprendentemente rapido, assumo il ruolo di *auditor*, riparatrice cioè di falle psichiche altrui.

«Per chiudere una falla / devi inserirvi ciò che la produsse». Altrimenti, impara a sopportare le sferzate dei venti. Così si esprime l'intelligenza di Emily Dickinson, brutamente conchiusa dalla mia sintesi in prosa. Per chi non intende soffrire, valgano dunque i più macchinosi succedanei dell'amore, ché la ragione di ogni mancamento non è che la privazione di quel rinvigorente caldo umano.

Ogni paziente che *audisco* stringe in ciascuna mano un cilindro metallico (familiarmente definito «lattina»), collegato a un elettro-psicometro (il così detto *E-meter*), un dispositivo di misurazione della resistenza elettrica, provvisto di quadranti e lancette agitate da fremiti incessanti.

Il corpo del paziente chiude un circuito elettrico formato da lattine, anima e corpo.

La singolare installazione ricorda il perturbante ibrido umano che si forma, riforma e deforma in *Crash* di Ballard (significo, al proposito, che l'ideatore di Scientology, L. Ron Hubbard, nasce scrittore di fantascienza). Induco infine ipnosi di grado medio, in esso composito organismo vivente.

Hubbard è l'antiuomo: un rossiccio à la Donald Trump, una proteinica figura di manager psicopompo, che poteva germinare solo in America: così carnoso e, in fondo, poco virile, veste i panni marziali dell'iper-maschio: tentacolare, polivalente e «di successo» (meglio se planetario).

La teoria alla base del suo «metodo» è che il dolore sia un fenomeno fisico misurabile, che i traumi formino resistenza e massa (sebbene, in fisica, resistenza e massa definiscano concetti differenti), e possano dunque venire individuati dal sensibilissimo ago del macchinario, rilievo che la semplice osservazione visiva non permette.
L'onesto attrezzo provvederebbe dunque all'elettrificazione dei circuiti spirituali ospitati dal

corpo. Una raccapricciante macchina d'ispezione del vero, un acutissimo rilevatore di traumi, più ficcante di qual sia occhio umano.

Individuato dunque l'episodio traumatico, accaduto talora in una delle supposte «vite precedenti», concentro su di esso l'attenzione mia e dell'*audito*, producendo avvincenti profluvi emotivi.

Quando si svegliano dall'ipnosi, le «mie» creature sono come risorte, pure se lievemente sotto shock: l'assicuratore ha scoperto d'essere stato attore di grido (e così giustificherà alla moglie la propria invincibile vocazione alla menzogna), la commessa ora sa che indossò immacolate divise da capitano di transatlantico, coinvolto in un naufragio spettacolare (e così spiega la sua certa avversione pei moti ondosi), la professoressa fu strega (e così chiarirà, finalmente, ai familiari quell'antica fobia del cucinare).

La mia amica del cuore, una volta scoperto d'essere stata la faraone Hatshepsut, si scagiona fin troppo facilmente della propria smania d'averla sempre vinta su di me.

Il paziente con la sciatalgia rammenta, nitrendo e scalciando con didascalica coerenza, d'esser stato una volta mulo da soma e di patire ancora, in questa vita, pesi portati nella precedente.

Il ruolo di *ghostbuster* di vesti dei fantasmi dei trapassati (remoti) mi appassiona moltissimo, sono coinvolta da ogni estrosa manifestazione umana e riesco a sciogliere non pochi nodi: malinconie, fobie, esitazioni sull'opportunità di vivere il futuro, immotivati turbamenti, e pure quella sciatica. Spesso faccio sedute fuori orario e gratis, contravvenendo a ogni proibizione. Senza lattine strette nelle mani, è chiaro.

Nonostante l'ardore, in pochi mesi maturo un disagio sempre più vivido circa i nomi delle cose: Scientology, come ogni setta, poggia le fondamenta su una perversione, ovviamente non casuale: l'implacabile rinominazione del mondo, degli oggetti di uso quotidiano, dei genitori stessi.

Questo pone un confine invalicabile tra chi è «dentro» e chi è «fuori», tra sapienti e ignoranti di quel linguaggio reinventato. Cosa, questa, in totale contrasto con la mia posizione nel mondo, che ho sempre *sentito* privo di confini. E il *sentire*, si sa, non lo cambi nemmeno con le minacce.

Mai più, mi riprometto, apparterrò ad alcuna setta, religione o credo che pretenda di cambiare il modo in cui liberamente chiamo le cose e voglia aggiudicare alla mia persona una speciale scienza.

Uscirne, non sarà facile. Ricevo ancora oggi la rivista che intende ragguagliarmi circa il mio essere libera e immortale.

Se di sera tardo dieci minuti a rincasare dal mio elettrizzante lavoro di ristrutturazione delle anime, si leva la cortina di Madre: Madre chiude la porta di casa «col ferro». Parola più pesante di quel che rappresenta: un chiavistello a scorrimento. Peraltro, in ottone.

La figuretta novantenne di Nonna, Madre di Madre, si erge a scudo davanti a tanta ingiuria. Ella emerge dall'indifferenziato come chi *vede*, e il suo sguardo conferisce esistenza a quanto è stato *visto*. Io, in questo caso.

Fino ad allora, l'esistenza di Nonna scorreva salda, neutra e naturale come il cadere a piombo dei muri della casa. Nonna era l'odore di mangime cotto, che s'infossa negli angoli delle stanze e fa venire fame fuori dai luoghi destinati alla fame, era compagna di giochi e strumento di soddisfazione dei bisogni vitali. Nutrendo i corpi che dovranno scontrarsi, fra loro e con la vita, gettava le basi di un amore: effettivo, concreto, inestimabile.

Data la circostanza di pericoloso Disamore emesso da Madre, Nonna abbandona la schiva maschera quotidiana e si accresce, ora, nella sembianza di chi molto comprende e perdona, la Chimera che scuote i capelli dalla notte dei tempi, e ne abbaglia i mortali (così forse intendeva condursi anche Laura, a pagina 122).

Insomma, nonostante sia da tempo inoltrata nella vita e avrebbe pieno diritto al Grande Egoismo Finale del morire, Nonna si risolve a incarnare l'Archetipo dell'amore privo di condizioni, la purissima scienza dell'Attenzione, sopra la quale i bambini nati con la camicia fondano l'esistenza intera. *Miracle of Love* canta, a ragion veduta, Annie Lennox.

Nel Tempo Alieno della cacciata e dello scontento, la sua figura esile, spiccatasi dall'invisibile dove la mia incoscienza la riponeva, indossa la veste metafisica del Legame Primario – significando, con questa espressione, l'attaccamento che rimedia per dottrina naturale all'assenza di tutti i corpi e di tutti gli amori, perduti chi sa quando, nel rombo siderale, e tra pallide *roccie*.

La voce che attinge all'incrollabile, alla biologia stessa della Casa, dice: «Ràpicci 'a potta! Nènti fìci, 'a carùsa! (Apri la porta. La creatura che bussa non ha colpa)».
È la voce della Casa che non vuole essere chiusa, muro di cinta contro lo sgretolamento del Disamore, cerchiaggio dello spacco alla radice.
In meno parole: questa Mamma al quadrato mi difende e, così difendendomi, mi salva.

La rimeriterò fino alla fine dei suoi giorni, che avverrà con durevole trauma otto anni dopo il prodursi di questi eventi, per tanto spargimento di mitopoietico bene sulla mia giovinezza.

Mamma, apri. Mamma,
lasciami entrare.
Sento i colpi delle colluttazioni dietro la porta.
Madre vince quasi sempre.

Se piove, dormo sul pianerottolo. Se è bel tempo, giro a piedi per Roma.

Sono gli anni dell'Edonismo Reaganiano, quelli che hanno cancellato dal mondo la terza dimensione, gli anni dei corpi senza quasi spessore, nei quali è facilissimo incontrarsi.

Nelle notti d'estate, Roma è piena di gente stravagante, bellissima e triste. Piume, scacchi, colori, anfibi rosa shocking, lamé a rigoni, creste. Un Carnevale di gente coi capelli gonfi, che cerca la gioia e si vuole divertire. Tra essi, cerco un posto per dormire.

Spadino posa caffè e cornetto accanto a me, sdraiata sui gradini della fontana a Santa Maria in Trastevere. Vorrei dargli i soldi. Lascia perde, sorè, stai messa peggio te.

Madre torna con due quadri di mare sotto il braccio e si giustifica Sembravano la mia isola.

Nella luce dell'alba, scavalco il cancello di un palazzo sconosciuto. Il pittore che si è offerto di ospitarmi per la notte ha posato una mano dove non doveva.

Madre fotocopia i miei diari e li fa leggere alle amiche. Ritiene siano prove di dissolutezza.

A Piazza Navona incontro Gabriella. Quella notte, andiamo verso la foce del Tevere, a bordo della casa-barcone di uno degli ultimi fiumaroli, un anziano che ormai molla gli ormeggi solo per simpatia. La rosa ancora chiusa del sole si leva sugli arbusti disordinati da piccole ondate d'acqua verde. A quell'ora dell'alba la fantasia s'innalza per pinnacoli infinitesimali. Perciò esclamo, semplice e descrittiva: Madonna, pare l'Amazzonia! Gabriella risponde, incongruente Se vedessi come sei bella adesso, non cambieresti più. Considero con interesse gli effetti allucinogeni della canna che, al solito, ho fortunatamente rifiutato.

Ornella Muti, Francesca, è una donna di spirito. Intelligente e, per ciò, autoironica, prende la vita con leggerezza esemplare e grande dignità, senza sproporzionati attaccamenti. Conosce l'aerea arte della perdita, quella di chi «accetta, santo, ogni partenza», che Pasolini attribuisce all'amato Ninetto. Praticamente l'opposto della nostra (mia e di Pasolini) dannazione capitalista di trattenere – al meno sotto forma di parole – il profumo degli evaporati. Dunque, per qualche anno, Francesca e io siamo amiche del cuore. Entro nella sua vita e tra i suoi affetti, nella villa all'Olgiata, quindi nel mondo stralunato e vertiginoso che le compete e non somiglia a niente di quanto mi è noto. Faccio parte del suo team di fiducia, irrogata fra la teutonica segretaria Dagmar e il più nostrano Vincenzino, fotografo. Leggo i copioni che le mandano, la seguo sui set.

Codice privato, di Citto Maselli (la grande mano, significante e bianca, che accoglie il corpo dell'abbandonata). *'O Re*, di Luigi Magni (i pagliai odorosi della grande campagna romana). *Il viaggio di Capitan Fracassa*, di Ettore Scola (il teatro di posa trasformato in una foresta fiabesca, dove ciascuno recita nel proprio idioma. Impossibile non ricordare che, in quinta elementare, avevo girato di classe in classe sbattendo i piedi fragorosamente, come richiesto dal ruolo esuberante di Capitan Fracassa). *Stasera a casa di Alice*, di Carlo Verdone (il destabilizzato mondo moderno: soppalchi, proto-poliamore e mattoni di vetrocemento).

Da trucchi e scenografie rimaste in memoria, si affaccia spesso la maschera malinconica di Massimo Troisi. La sua calma svagata, il sorriso dolcissimo e triste di un uomo che sa, e non gliene importa.

Quattro anni dopo l'incontro col suo affettivo e tremebondo Pulcinella, apprendo la notizia della sua morte da un televisore acceso in un bar di San Benedetto del Tronto, dove sono andata a ritirare il Premio Montale. È il 4 giugno 1994. Rinuncio a bere il caffè che ho ordinato.

Col tempo e l'esperienza del mondo sale la pena.
Col tempo e l'esperienza del mondo vedo che in
Madre non muore solo mia madre, vedo che il
danno non è solo mio.
Madre è tutto un essere umano indipendente che
muore.

Vedo il tempo prezioso della vita di Madre
sprecato
a soffrire per niente. Ogni giorno, per niente.
Questo essere umano
non smette di morire sotto i miei occhi. Ogni
giorno. Per anni. In molti
imprevedibili modi.

Vado a trovarla in clinica

senza annunciarmi, perché lei
non mi vuole. Madre ha gli occhi di vetro.
I suoi begli occhi neri, dove sono andati?
È il corpo, che rinuncia.
Mamma, dove sei andata?

Dove andiamo tutti

La presunta necessità di una «politica reale» e al passo con l'Europa, inaugurata negli anni Settanta dal Compromesso storico di Enrico Berlinguer, ha come risultato terminale lo scioglimento del Partito Comunista per mano di Achille Occhetto, col sostegno di moderati come Massimo D'Alema, Piero Fassino, Walter Veltroni. Ovviamente contrari, i capi storici del Partito: Giancarlo Pajetta, Pietro Ingrao, Alessandro Natta. Nomi, questi ultimi, che trasmettono al presente l'orgoglio di ideali che si sono fatti corpi, gettati nella lotta a rischio di perderli.

Anziché continuare a proporsi come forza rivoluzionaria dell'uguaglianza, resistente alla caduta nell'indifferenza narcisistica della nascente realtà sociale (la quale non è un ente che prescinde dalla volontà collettiva), la pieghevole e rosacea sinistra italiana decide di assecondare lo scivolamento del Paese in un futuro che comincia a sembrarle inevitabile. Premessa la fiducia nell'onestà dei propositi, *quella sinistra* compie il fatale errore di credere di potersi mescolare mantenendo la propria identità: così intrecciata alle forze altrui, *quella sinistra* crede di riuscire a orientare il fiume sotterraneo della lotta di classe, imparando a conoscere dall'interno il terreno metamorfico e spesso impalpabile del neoliberismo. È come assistere all'agonia di un gigante, poiché *quella sinistra* non adeguerà ai nuovi metodi del reale i propri metodi, lasciandone intatta la sostanza ideale, ma contaminerà – irreparabilmente – la propria sostanza ideale.

Mentre subiamo quel momento storico, ripenso spesso all'illustrazione di un libro che ho molto amato da bambina, *I viaggi di Gulliver*. L'immagine mostra il gran corpo di Gulliver legato dai minuscoli lillipuziani, gli abitanti dell'isola sconosciuta dove ha fatto naufragio. I lillipuziani, litigiosi e fratricidi, hanno paura di quel corpo, troppo grande e pesante per la loro misura.

«Mio marito, Giacomo Calandrone, prima di morire mi raccomandò di far scrivere sulla pietra del suo loculo una sola parola: 'comunista'. Non me lo permisero allora le autorità, oggi i compagni vogliono cancellare quella parola [...]. Ricordo con dolore e amarezza i compagni fucilati davanti alle fabbriche, i trentasei sindacalisti massacrati in Sicilia, le prigioni di Scelba [...]». Così Madre a ItaliaRadio, emittente del Partito. È mercoledì 15 novembre 1989.

Due mesi dopo, sarò parte del grande ed effimero corpo della Pantera, movimento universitario di opposizione alla riforma Ruberti. Occuperemo, picchetteremo, manifesteremo. Una grammatica politica illuminata dal basso, che svanirà all'arrivo della primavera.

Nei suoi ultimi tredici anni Madre si imbozzola, con soddisfazione, in una cava di ricordi, audiolibri e ascolti radiofonici dove abita sola, anche materialmente: impiegato qualche mese per ambientarsi nel buio improvviso della cecità, Madre torna nell'appartamento dove si era trasferita un anno prima, apparendo finalmente capace di autodeterminazione.

A settant'anni, Madre fa quello che lei stessa definisce «un colpo di testa»: rivendica il diritto al tradimento primario, ossia il diritto all'emancipazione dalla Madre e alla libertà. Si punisce quasi immediatamente diventando cieca.

Un secondo elemento determina la salutare evasione di Madre dalla famiglia: Madre non regge lo spettacolo del deterioramento della propria Madre, troppo contraddittoriamente amata, ma io rifiuto di internare Nonna in una di quelle «case di riposo immerse nel verde», come la moderna mania di ridefinire i fenomeni spiacevoli della vita edulcorandone i nomi denomina quei villini, allocati fuori le mura, dove ai vecchi non resta che impiegare interminate notti a fiutare l'arrivo della morte. Corpi ormai inutili alla rincorsa produttiva, estromessi dal cerchio urbano che hanno contribuito a edificare. Il mio amore è spiccio. Ci penso io. Incapace di abbandonare. Per motivi palesi.

Così vicina e così lontana, Madre vive al secondo piano del palazzo dal quale esco, a singhiozzo, per frequentare l'Università mentre assisto Nonna, che è ormai allettata e in pericolo di vita permanente. Divento un'infermiera esperta, sul campo di quel corpo difficile.

Quasi tutti i mestieri, ma pure certe passioni, nascono dal Caso (che, com'è noto, ci governa) e si apprendono nella fenomenica prassi quotidiana. Madre ha arredato la sua nuova casa coi mobili di due delle tre stanze di famiglia. L'appartamento dove Nonna e io abitiamo è ora semivuoto: Madre ha lasciato solo l'indispensabile e quanto non entrava nelle due camere e cucina dove ha traslocato. La nostra casa, un tempo tirata a cera per pavimenti Biutiflor, ora ha gli occhi di fuori, è sconnessa nei modi, zoppa e aliena come il set di un film post-apocalittico. Sembra sia passato un uragano, che ha immiserito il volto delle cose. Sui muri resta il chiaro dei grandi mobili asportati, sormontati dal vuoto profilo grigiolino dei quadri. Dove c'era la camera da pranzo verdemare, c'è l'eco di una valle di montagna. Mi aggiro in quella sintesi emotiva, in uno svuotamento al fondo del quale, come da ogni perdita, traluce e occhieggia una possibilità. I fatti pure, con naturalezza, ci governano.

Quella stravagante necessità origina infatti, in me, un'imprescindibile inventiva di arredatrice d'interni: assemblo cassette della frutta, rifiuti urbani, bancali di legno e, infine, oggetti e suppellettili in svendita presso le comunità di recupero dei tossicodipendenti. Trovo pure una Remington Ten Forty portatile, la macchina da scrivere da viaggio di Padre. Scartavetro, rinfresco, trapano, incollo, martello e ridipingo. Il risultato è il caos di forme e colori che, infine, sintetizzo in uno stile. Tornano utili, adesso, i pomeriggi della preadolescenza, trascorsi a traforare tavolette di balsa e lastre di compensato.

Se la mia casa produce sonorità di officina e ospedale, la casa di Madre è invece cinguettante e canora: Madre è una superba allevatrice di canarini che, grazie alle sue cure, resistono al Tempo fino a diventare decrepiti, mantenendosi purtuttavia colmi dell'indecorosa gioia del canto.

La funzione cecità costruisce intorno a Madre
– filamento dopo filamento – un guscio impe-
netrabile, dentro il quale lei sta fieramente in
equilibrio. Certo, il suo corpo formalmente cede
all'abrasione del Tempo, però Madre sacrifica la
vista per non assistere al dolore. Il dolore di sua
madre che, ammalandosi, l'abbandona; il dolore
di un mondo che le irride ogni utopia; infine, il
dolore di non poter ricevere con gioia quanto è
giovane e vivo e zampilla, a un passo dallo sfolgo-
rio della conchiglia dove lei si è richiusa.

Cecità è l'esoscheletro che custodisce la tene-
rezza di una donna che ancora si commuove per
l'italiano scivolato, raddoppiato e perturbato
dall'accento spagnolo, di Julio Iglesias che, dal-

la radio, le parla all'orecchio nel buio, come una volta faceva il suo amore: «Se mi lasci non vale, se mi lasci non vale. / Non ti sembra un po' caro / Il prezzo che adesso / Io sto per pagare?»

Anch'io donna di esorbitanti e fedelissimi amori, smetto di disegnare e dipingere quadri che Madre non può più vedere, li seppellisco in cantina come tradimenti. Li dimentico.
Madre conserva le mie prime poesie. Madre se le fa leggere, ogni tanto. L'esergo è di Max Jacob: «*Ta balle, mon enfant, était une prière*». Madre critica duramente. Certe volte, sorride. Continuo a scrivere per quel sorriso.

Negli ultimi anni di Madre ci sono pure nume-
rosi ricoveri. C'è un intervento chirurgico, preceduto da lunghissime telefonate piene di scan-
dalo: Madre non vorrebbe farsi operare, poiché
sostiene di non provare più un effettivo interesse
per la vita. Madre ritiene bastevoli i settantano-
ve anni vissuti. Madre dice che non è dignitoso
tirare le cose per le lunghe, dice Bisogna saperse-
ne andare. Quando si sveglia dall'anestesia, ride
parlando di Berlusconi e dell'Ordine della Giar-
rettiera. Nonna è morta due anni prima, siamo
rimaste *noi due*. Madre si è fatta operare per non
lasciarmi sola.

Cinque anni dopo, c'è una telefonata dalla pronuncia incomprensibile, attraverso la quale decifro che Madre è a terra e non può rialzarsi. C'è il mio compagno (e futuro padre dei miei due figli) che si cala in casa di Madre dal balcone del piano di sopra e c'è Madre che, nella luce di acquario del Pronto Soccorso del San Giovanni, si sforza di ricordare i numeri di telefono. Mamma, ma che pretendi? Io non me ne ricordo neanche uno. Maria Grazia, tu non hai mai avuto memoria.

Madre che speranzosa dice È morta? quando simulo uno svenimento davanti ai carabinieri. Madre perde piccole gocce di sangue. Non può vederle e crede, piuttosto, che io la inganni per rubarle in casa, mentre è ricoverata. Madre chiede protezione a Enrico, un volontario dell'Unione Italiana Ciechi che abita a due passi e, una volta a settimana, alternandosi a me, l'accompagna a fare la spesa. Madre si è rifugiata a casa di Enrico. Le forze dell'ordine sono state chiamate dai genitori del ragazzo, allo scopo di estromettermi dalla loro proprietà privata. Oppongo È mia Madre, non la lascio qui. Intendo: nella vostra stronza proprietà privata (che, beninteso, disprezzo a oltranza) c'è l'isola abbandonata di un corpo umano che pongo sotto la mia giurisdizione morale, perché colei che lo governa e abita, al momento, non è in grado di decidere il suo bene. È mia Madre. Che me ne frega della vostra legge. Il carabiniere dice La Signora è libera di fare quello che vuole. Taglio corto e mi butto per terra.

Madre che in ambulanza è solamente corpo che stringe il cuore, inoffensiva come un passeretto. Signora, adesso fa' la brava, va bene?

Nel Duemila c'è un Primario (paraponziponzi
pò) che mi vuole denunciare
perché Madre, per sfuggirmi
avanza brancolando nel bianco (per lei nero) della corsia con la borsetta sotto il braccio, gridan-
do che non mi consegnerà *mai* le chiavi di casa
perché la rapinerei, altro che prenderle il cambio
della biancheria nei cassetti del comò.
Ci sono io che mi fermo accanto alla grande porta a vetri, per imprimere nella mente per sempre
questa scena di spreco
dentro la quale so pensare solo Mamma, no.

C'è un secondo Primario, che mi dice che ne ha
già viste tante come me e non riuscirò ad abbandonare Madre nel suo reparto. Ci sono io che

sbatto la porta della sua propria stanza in faccia
al Primario. La targhetta col suo cursus honorum
oscilla.

C'è la diagnosi di uno psichiatra dell'Ospedale
che attribuisce finalmente un nome allo sperpero grande di Madre, allo spostamento di placche
geologiche di dolore che, nei momenti critici, da
venticinque anni la scuote, per proteggerla dagli
insulti della realtà. Ci sono io che devo appog-
giarmi al muro per molti minuti, nei sotterranei
del San Giovanni, perché allora non era colpa
mia. Offendermi ti salva dal dolore. Allora c'ero
riuscita, Mamma. Sono il tuo scudo.

A luglio Duemila c'è un viaggio da sola a New-bridge (Kildare, Irlanda) per il *Gerard Manley Hopkins Literary Festival*. Ancora non so di aspettare il primo figlio. Tuttavia, un inconsueto desiderio di arance mi insospettisce. Nonché un'insolita inclinazione al pianto. Arance e lacrime in Irlanda non si usano, vengono rimpiazzati da birra e canti. E da interminabili camminate sotto il sole, per raggiungere le residenze disseminate nella campagna spiritosa.

Ci sono io che parlo al telefono con Madre, mentre resto prudentemente seduta sulla poltrona di una casa piena di luce e vento del Nord. Ho deciso di non rigettare il maestoso piatto di uova al bacon che mi hanno offerto al risveglio. A Madre piace tanto viaggiare e si fa raccontare tutto quello che vedo intorno a me. La veranda inondata di sole. I colori limati dal vento. Gli spigoli puliti delle cose: il tavolo di legno laccato bianco, lo smalto dei bollitori, la stoffa asciutta dei tovaglioli. I covoni. Il verde mai visto di un'erba brillante come il mare.

Anche i parenti che ad agosto ruotano intorno al letto di Madre sono mai visti prima. Madre è di nuovo ricoverata. Il corpo di Madre ha un'età biologica inferiore di decenni rispetto a quella anagrafica e questo dono, del quale è sempre andata parecchio fiera, nella presente circostanza si rovescia in male: la malattia prende forza dalla forza dell'organismo di Madre e progredisce a velocità inattesa. Essi parenti hanno fretta, girano a cerchi sempre più stretti. Il più giovane vuole che lei gli compri un camion. Un'altra, vuole aprire un chioschetto in riva al mare. Essi sono muniti di mortificanti blandizie. Poi vieni a prenderti la granita di gelsi. Queste parole, umilianti per l'integerrima intelligenza di Madre, mi fanno conoscere l'odio. Madre, invece, si diverte. Madre

dice Li faccio ballare. A Madre è sempre piaciuto fare le sorprese. Come quando fingeva di essersi dimenticata il mio compleanno. Una festa inattesa è più grande. E così un rifiuto. Poiché Madre li ospita nella sua casa, Essi parenti riescono intanto a involare metà dei ricordi della mia infanzia, incluso il bracciale a piastre che Mamma portava sempre ed è rimasto impresso nella foto sul giornale. Essi parenti mi dicono Cu si' ttu? Tu si' 'na szrana. Intendono infine rivelarmi che, in quanto figlia adottiva, tecnicamente trattasi di estranea. Levo gli spini dalla carne viva senza dolore. Sono cosciente di aspettare un figlio. Lo proteggo. Il corpo ammirevole di Madre resiste. Nessuno sa per quanto. Giorni? Ore? Non sappiamo mai niente. Siamo dentro un mistero. Peggio: siamo creature sconosciute che flottano affascinate nel mistero. Siamo questa paura, questa fatica e questo desiderio di comprendere e non lasciare nulla di intentato. Siamo la volontà di non rimpiangere e una terribile semplicità. Mamma. Vedi qualcosa? Vedi la fusoliera di tutto questo amore e del dolore umano
conficcata nel Nulla?

Così lontana che pare d'averla sognata
la voce di Mamma dice Ti ho accompagnata abbastanza.

10 giugno

Lei che sembra sognata

Mamma è tornata.
Ha risalito l'abisso
per salutarmi
prima di andare
davvero, se il vero
è vero. Con che dolcezza
dice Sto morendo.
No, Mamma, no che non muori.
Mamma ha visto qualcosa che non conosce.
Mamma, ci sono io.
Mamma, senti la fine dell'estate?
Tra poco viene l'uva che ti piace.
Mamma, io mi ricordo
tutto. Mamma, dammi la mano, ci sono io.
Sono quella di allora.

Ancora qui, a segnare il tuo confine, come
                    quando eravamo senza confini.
Mamma, sei tanto stanca.
Puoi andare, mamma.
Mamma, ti lascio al fuoco col mio dono
da nulla, un foglio arrotolato
fra le tue belle mani.
Mamma, io ti accompagno oltre le fiamme.

Le parole non servono a niente.
Abbiamo solo il tempo della vita, mamma.
                                    Nient'altro.
Mi posso mettere vicino a te?

Splende, la vita, splende come vita. A volte
splende quieta
come il tuo corpo abbandonato al sonno. A volte
sfolgora come il lampo del sorriso.
Ma la terra non splende, la cenere
non splende.

Davvero, Mamma, non sappiamo niente
e non siamo che corpo e non siamo
più in nessun luogo, dopo, probabilmente

e questo precipizio di parole
non è buono a rifare
neanche una molecola del tuo sorriso.

Era vivo, il tuo corpo, e lo guardavo

come si guarda la casa
distesa nella luce del tramonto e il colle
dove stiamo tornando.

Faticavo a raggiungerti, alla fine. Ma eri vita
accessibile, vita dovuta e vita che ho dovuto
lasciar andare. Addio, Mamma. Addio,
                                professoressa.

Senza difese, torni
vita che splende.
Senza difese, splendi come vita.

Vita
abbandonata.
Vita
di tutti.
Vita che torna,

a tutti.

Nota

Questo libro si è scritto da solo nel cuore del giugno 2020.

La mia gratitudine intera all'amica di una vita, Sonia Bergamasco, che mi ha ripetutamente incoraggiata a non essere «reticente»; ad Andrea Cortellessa, Giovanna Rosadini, Andrea Minello e Silvia Bre per avermi orientata: prima, durante e dopo questo viaggio scritto

verso l'ignoto che è la nostra vita.

Senza voi, sarei meno felice.

Roma, 25 giugno 2020

Indice

Madre, mettimi tra quelli   17

Madre è gelosa   29

Non avrai altro Padre   33

Noi due   65

1976, l'estate dopo   97

Inferno   113

Esterno, *deboscia*   141

Niente come la vita (il Collegio di Suore)   145

Gli anni Ottanta hanno rovinato il mondo   161

Dove andiamo tutti   191

Lei che sembra sognata   215

Splende, la vita   218

Nota   221

Finito di stampare nel mese di settembre 2021
per conto di Adriano Salani Editore s.u.r.l.
da Rotolito S.p.A., Seggiano di Pioltello (MI)
Printed in Italy